Cestyll Tywysogion Gwynedd

Castles of the Princes of Gwynedd

ISBN 0 11 671134 5

Produced in the UK for HMSO
Dd 718553 C105 3/83

Diolchiadau
Oni nodir fel arall, hawlfraint y Goron sydd ar bob llun, a deuant o lyfrgell ffotograffau y Swyddfa Gymreig.

Acknowledgements
Unless otherwise credited, all illustrations are Crown copyright from the Welsh Office photographic library.

PARATOWYD GAN Y SWYDDFA GYMREIG
PREPARED BY THE WELSH OFFICE

Cestyll Tywysogion Gwynedd

Castles of the Princes of Gwynedd

Richard Avent MA FSA

Arolygydd Henebion, Y Swyddfa Gymreig
Inspector of Ancient Monuments, Welsh Office

GWASG EI MAWRHYDI CAERDYDD
HER MAJESTY'S STATIONERY OFFICE CARDIFF

Cynnwy

Contents

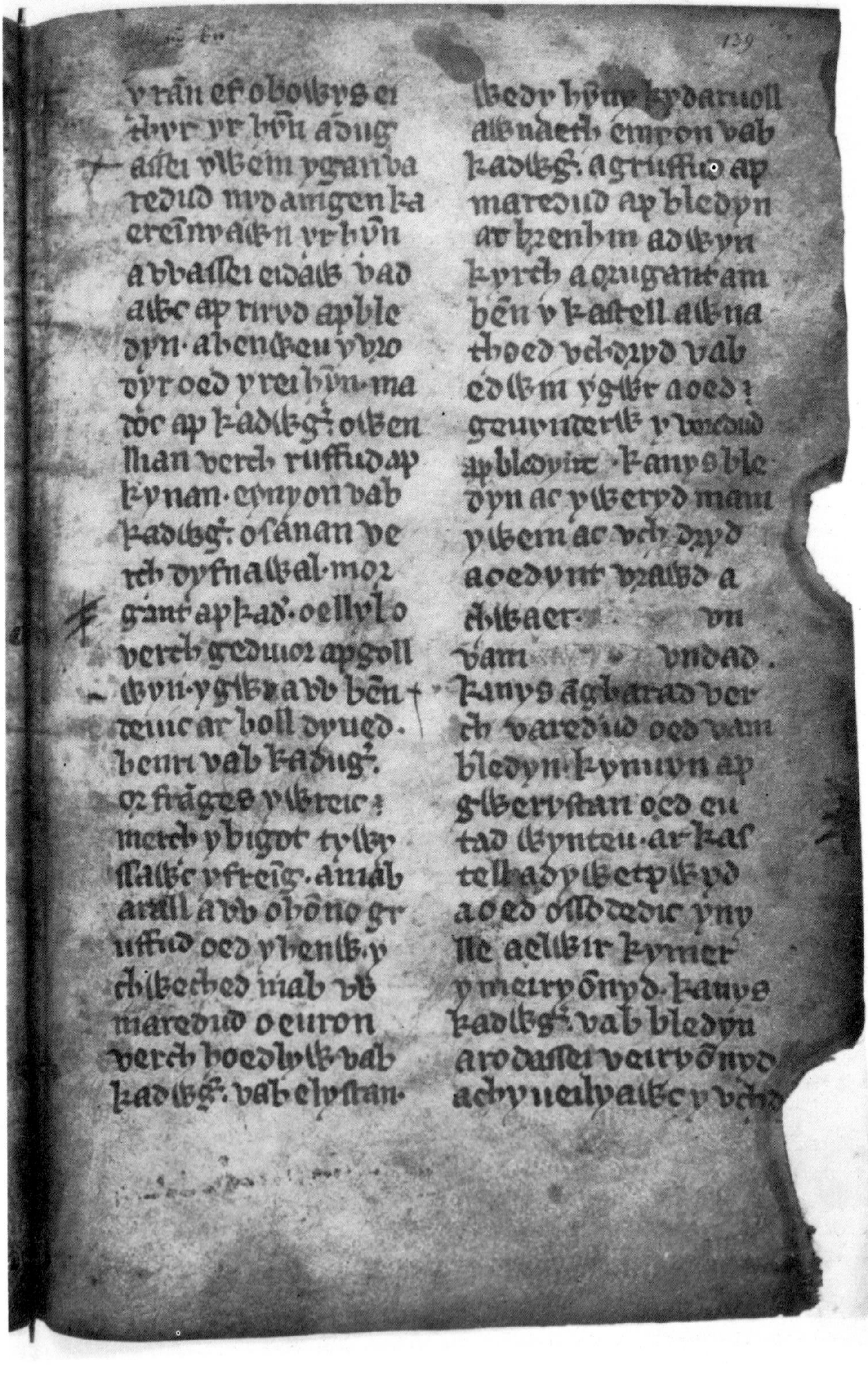

Cestyll Tywysogion Gwynedd

Castles of the Princes of Gwynedd

Ymhen ugain mlynedd ar ôl glanio yn Pevensey, yr oedd y Normaniaid wedi llwyddo i oresgyn Lloegr yr Eingl-Sacsoniaid bron yn llwyr, ond buont ddwy ganrif arall cyn llwyddo i oresgyn Cymru gyfan. Er mwyn sicrhau'r goresgyniad hwnnw, fe gododd Edward I rai o gestyll cadarnaf a godidocaf Ewrop, cestyll sy'n dal i sefyll heddiw yn dyst i'r ymdrech enfawr a'r gwario enbyd yr oedd eu hangen i wastrodi'r Cymry. Ysgrifennwyd llawer am y cestyll hyn ac mae'n siŵr bod mwyafrif yr ymwelwyr â Gogledd Cymru rywdro neu'i gilydd wedi ymweld â chestyll Caernarfon, Conwy, Harlech neu Fiwmares. Diben y llawlyfr hwn, ar y llaw arall, yw trafod rhai o'r cestyll llai enwog a godwyd, nid gan y Normaniaid ond gan dywysogion y Cymry eu hunain.

Prin yw'r dystiolaeth ddogfennol ar ochr y Cymry. Y brif ffynhonnell yw Brut y Tywysogion *sy'n cofnodi digwyddiadau yng Nghymru o'r seithfed ganrif hyd 1282–3 gyda rhai cofnodion byr ar ôl hynny. Mae rhai llawysgrifau mwy tameidiog o'r Canol Oesoedd hefyd yn dal ar glawr a chadw, gan gynnwys* Historia Gruffydd ap Cynan, *un o dywysogion Gwynedd tua dechrau'r ddeuddegfed ganrif. Drwy gysylltu'r wybodaeth hanesyddol a geir yn y dogfennau hyn â'r wybodaeth archaeolegol a phensaernïol a gafwyd wrth astudio a chloddio'r olion, gellir olrhain datblygiad cestyll y Cymry.*

◁ *Y tudalen ym* Mrut y Tywysogion *sy'n cyfeirio at gastell Uchdryd ab Edwin yng Nghymer ym Meirionnydd (Trwy ganiatâd Llyfrgell Genedlaethol Cymru)*

◁ The page in *Brut y Tywysogyon* which refers to the castle of Uchdryd ab Edwin at Cymer in Meirionnydd (by permission of the National Library of Wales)

Within twenty years of their landing at Pevensey on the south coast, the Normans had largely subdued Anglo-Saxon England. It was to take another two hundred years before King Edward I finally extended that overlordship to the whole of Wales. In so doing, he built some of the strongest and, architecturally, most magnificent castles in Europe, castles which still stand today as testimony to the enormous expense and effort that was needed to subdue, once and for all, *Wallia Pura*, Welsh Wales. Much has been written about these castles and most visitors to north Wales will have had occasion to visit, at some time or other, Caernarfon, Conwy, Harlech or Beaumaris. By way of contrast, this guide is intended as an introduction to those lesser known castles erected in the twelfth and thirteenth centuries not by the alien Normans and their successors but by the native Welsh princes.

This period is poorly documented from a Welsh point of view. The main historical source is the *Brut y Tywysogyon* or the Chronicle of the Princes which records events in Wales from the seventh century to the morrow of the Edwardian Conquest of 1282–3 (with a few later brief entries). Other, much more fragmentary, medieval texts have survived including the *History of Gruffydd ap Cynan*, a prince of Gwynedd in the early twelfth century. By combining the strands of information gathered from these historical sources with information gained from archaeological excavation and architectural study of the upstanding remains, it is possible to construct a picture of the way in which the Welsh castle developed.

Cestyll Pridd a Phren

Ni ddaeth William Goncwerwr ei hun i geisio goresgyn Cymru ac eithrio, o bosibl, yn ystod ei ymweliad neu ei bererindod i Dyddewi ym 1081. Ei bolisi oedd gadael i'w arglwyddi mwyaf mentrus geisio rhannu'r wlad rhyngddynt. Bu Barwniaid y Gororau, fel y'u gelwir, yn hynod lwyddiannus ar y cychwyn ac yn ystod y deng mlynedd a thrigain cyntaf fe oresgynnwyd rhan helaeth o'r wlad, er mai dros dro'n unig y bu llawer ohoni yn eu meddiant. Aethant ati i godi eu cestyll pridd a phren–y cestyll mwnt a beili. Twmpath o bridd oedd y mwnt, ac o'i amgylch yr oedd ffos amddiffynnol a gloddiwyd wrth godi'r twmpath. Ar ben y mwnt yr oedd palis pren a'r tu mewn i hwnnw safai tŵr neu orthwr o bren. Wrth ochr y mwnt, fel rheol, ceid cwrt neu feili allanol a byddai pont ac ysgol neu risiau yn cysylltu'r gorthwr â'r beili; o amgylch y beili ceid ffos amddiffynnol a chlawdd ac arno balis pren a phorth. Yn y beili safai adeiladau pren ac yn eu plith, mae'n debyg, ceid neuadd, capel, ceginau, ysgubor, stablau a llety i filwyr yr arglwydd. Weithiau, ceid mwnt ar ei ben ei hun pan nad oedd yr amddiffynfa'n un bwysig iawn. Cestyll o'r math hwn, yn ôl pob tebyg, yw mwyafrif y chwe chant o gestyll pridd a phren y mae eu holion i'w gweld yng Nghymru a'r Gororau. Math symlach o gastell oedd darn o dir gweddol wastad â ffos o'i amgylch, ac ar ochr fewnol y ffos ceid clawdd o bridd a phalis pren ar ei grib. Tŷ porth neu dŵr cadarn o bren oedd y brif amddiffynfa, ac yn y cwrt ceid yr un adeiladau ag yng nghwrt y castell mwnt a beili.

Araf iawn fu ymateb y Cymry i'r ymosodiadau cyntaf hyn gan fod y wlad yn rhanedig a llawer o'r tywysogion yn ymgiprys â'i gilydd. Hanfod y rhyfela mynych oedd hen arfer y Cymry o rannu tiroedd yn gyfartal rhwng etifeddion. Manteisiodd y Normaniaid ar hyn, a pholisi'r barwniaid erbyn diwedd yr unfed ganrif ar ddeg oedd meddiannu cymydau'r Cymry, sef eu huned weinyddol sylfaenol, yn hytrach na meddiannu tir hwnt ac yma'n ddibatrwm. Wrth wneud hynny, gallent sicrhau'r hawl i dra-arglwyddiaethu a chodent gastell ym mhob cwmwd neu grŵp o gymydau. Yna, ym 1094, llwyddodd y Cymry i uno, dros dro, yn erbyn y gelyn a'i drechu ym mrwydr Coed Yspwys (ble bynnag yr oedd hynny). Gorfodwyd y Normaniaid i adael Gwynedd a Cheredigion a Dyfed, heblaw am y

Earthwork and Timber Castles

William the Conqueror did not take an active part in any attempts to overrun Wales in the years that followed the conquest (except possibly for his expedition/pilgrimage to St David's in 1081). Instead, he chose to allow some of his more adventurous barons to divide it up amongst themselves and in this way the Marcher Lordships of Wales were created. Initially, the marcher lords were very successful and in the first seventy years or so they overran a substantial part of the country, although their hold on much of it was short-lived. They brought with them their expertise in building earthwork and timber castles. The motte and bailey castle consisted of an earthen mound or *motte*, surrounded by a defensive ditch from which the material of the mound had been excavated. The top of the mound was encircled by a palisade inside which was the principal strongpoint of the castle, a timber tower or keep. Usually an outer courtyard or *bailey* was attached to the side of the mound. A bridge and a ladder or steps connected the keep to the bailey which was surrounded by a defensive ditch and a bank surmounted by a palisade with a gate in it. The area of the bailey was occupied by timber buildings probably consisting of a hall, chapel, kitchens, barn, stables and accommodation for the lord's retainers. In some cases, where the role of the castle appears to have been fairly limited, the motte is found on its own without an attached bailey. The majority of the six hundred or so surviving earthwork castles in Wales and the Marches appear to have been of this type. Another, somewhat simpler type of earthwork castle, the *ringwork*, consisted of a flattish area surrounded by a ditch inside which there was an earthen bank with a timber palisade. A substantial timber gatehouse or tower acted as the main stronghold and the same buildings existed in the courtyard as in that of the motte and bailey castle.

The initial Welsh response to the Norman onslaught was slow. The country was divided among many feuding princes and the Normans were able to take advantage of this internal dissension, which was fostered to a considerable degree by the Welsh custom of partible inheritance (dividing up an inheritance equally amongst

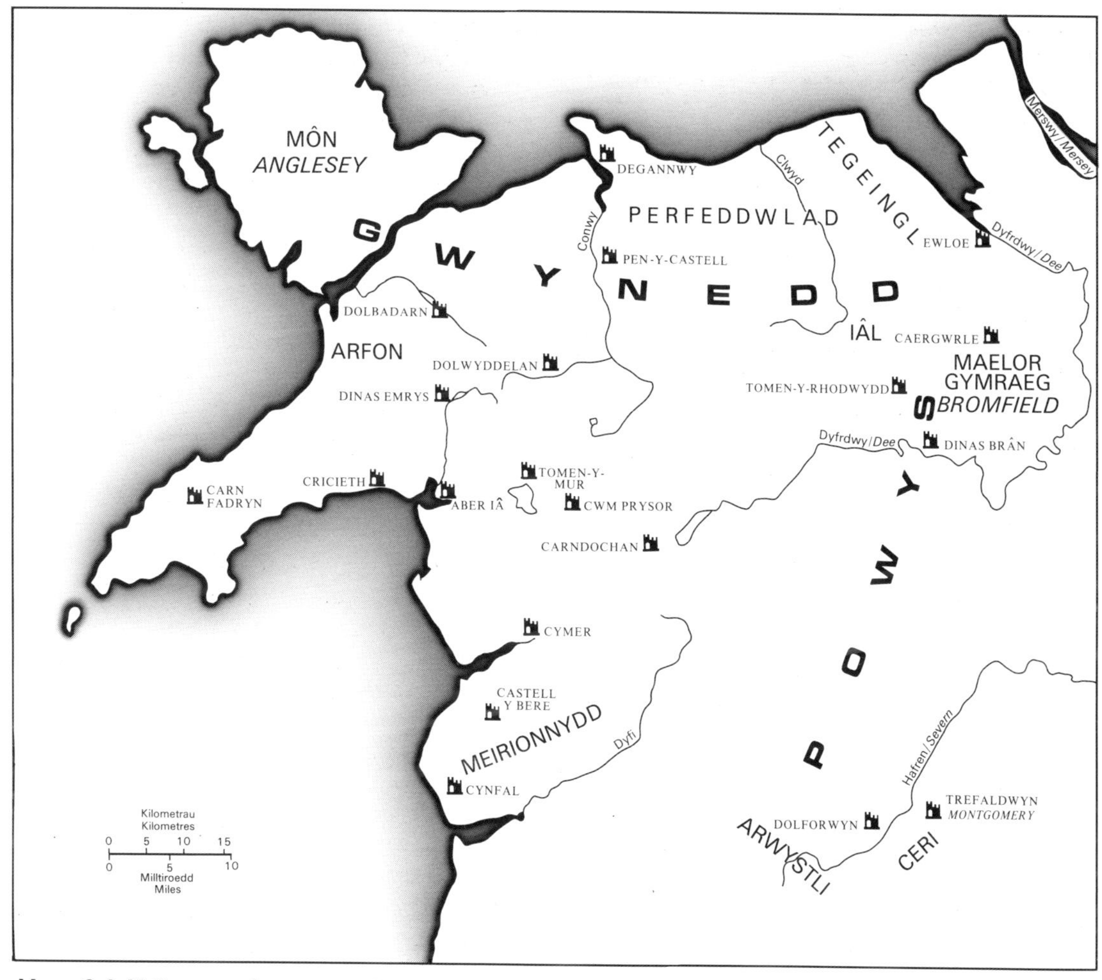

Map o Ogledd Cymru yn dangos y cestyll o gerrig a'r cestyll o bridd y cyfeirir atynt yn y testun

A map of north Wales showing the position of the stone and earthwork castles mentioned in the text

castell ym Mhenfro. Y flwyddyn honno, gorchest Gruffydd ap Cynan yn ôl ei gofiannydd oedd 'Rydhav Gvyned a oruc o'e chestyll'. Ym 1095, dywed y cofnod ym Mrut y Tywysogion, *'A hanner y kynhayaf y kyffroes Gwillym urenhin lu yn erbyn y Bryttanyeit. A gwedy kymryt o'r Bryttanyeit eu hamdiffyn yn y coedyd a'r glynnoed yd ymhoelawd Gwilim adref yn orwac ac heb ennill dim'. Nid oes unrhyw awgrym yma fod y Cymry wedi dechrau codi eu cestyll eu hunain. Y cyfeiriad dibynadwy cyntaf at arglwydd o Gymro yn codi castell yw'r cofnod ym* Mrut y Tywysogion *ar gyfer y flwyddyn 1111, pryd y lladdwyd Cadwgan ap Bleddyn yn y Trallwng ac yntau wrthi'n trefnu codi castell yno. Bum mlynedd yn ddiweddarach*

all the heirs), to strengthen their hold on the areas which they had conquered. Furthermore, it seems that the Norman lords, instead of seizing land in a random manner, were, by the end of the eleventh century, adopting a policy of acquiring Welsh commotes which were the basic administrative units into which Wales was divided. In so doing, they were not only acquiring land but also the traditional right of overlordship and in each commote or group of commotes they built a castle. Finally in 1094 the Welsh, temporarily united against a common enemy, turned on the Normans and defeated them in battle at Coed Yspwys (the site of which has never been identified). The Normans were forced to abandon

cyfeirir at gastell a godwyd gan Uchdryd ab Edwin yng Nghymer, ac mae olion mwnt heb feili yn dal ar y safle hwnnw ychydig i'r gogledd o Ddolgellau.

Ceir rhyw ddeg cyfeiriad arall ym Mrut y Tywysogion *at arglwyddi'r Cymry yn codi cestyll yn y ddeuddegfed ganrif. Cestyll mwnt a beili yw mwyafrif y rhain er bod y beili wedi'i hepgor ambell waith, ac un enghraifft yn unig sydd o'r math symlach o gastell. Gellir casglu felly mai'n gynnar yn y ddeuddegfed ganrif y dechreuodd y Cymry godi cestyll a'u bod wedi dilyn patrwm cestyll y Normaniaid. Wrth ysgrifennu tua diwedd y ddeuddegfed ganrif dywedodd Gerallt Gymro am y Cymry "a hefyd dysgwyd a chynefinwyd hwy yn raddol mewn trin arfau a meirch gan y Normaniaid a'r Saeson, y cawsent erbyn hyn gyfathrach â hwy trwy ganlyn y llys a rhoddi gwystlon". Ac mae'r cofnodion yn y* Brut *yn awgrymu bod y Cymry hefyd wedi dysgu sut oedd gwarchae a meddiannu cestyll.*

Gan fod y ddwy ochr yn codi'r un mathau o gestyll, nid oes modd barnu ai castell Cymreig neu gastell Normanaidd oedd unrhyw gastell arbennig oni cheir cyfeiriad hanesyddol neu dystiolaeth archaeolegol amdano (eithriadau amlwg i'r rheol hon yw'r ceyrydd pridd anferth a godwyd gan y Normaniaid yn yr unfed ganrif ar ddeg, megis Rhuddlan ac Aberlleiniog, Ynys Môn). Er mai prin yw'r cyfeiriadau at y Cymry'n codi cestyll, ceir amryw o gyfeiriadau eraill atynt yn ymosod ar gestyll a godwyd gan y Normaniaid ac yn eu meddiannu. Ond mae'n dal yn anodd darganfod i ba raddau y defnyddiai'r Cymry gestyll pridd. Pan ymosododd Owain a Chadwaladr, meibion Gruffydd ap Cynan, ar gestyll y Normaniaid yng Ngheredigion ym 1136–7, un yn unig a gadwyd ganddynt. Ym 1147 cododd Cadwaladr gastell newydd yng Nghynfal ger Tywyn, a dwy flynedd yn ddiweddarach cododd Owain y castell Cymreig gorau o'i fath yn Nhomen y Rhodwydd yng Nghwmwd Iâl. Eu lleoliad ar gyrion Gwynedd oedd yn gyfrifol am eu codi yno mae'n debyg. Digon rhesymol, felly, fyddai tybio i arglwyddi'r Cymry godi cestyll am resymau strategol er mwyn rheoli rhan bwysig o'u tiriogaeth, ond mae'n annhebyg iddynt ddilyn arfer y Normaniaid o gael castell ym mhob cwmwd. Unig amddiffynfa llys cwmwd, fel arfer, oedd palis pren neu fur o gerrig o'i amgylch.

Ers cyfnod y brenin Alfred, pryd yr unwyd Lloegr

Gwynedd and Ceredigion and the whole of Dyfed except the castle at Pembroke. In that year Gruffydd ap Cynan, according to his biographer, 'delivered Gwynedd from castles'. In 1095 an entry in the *Brut y Tywysogyon* states, 'And in the middle of autumn King William moved a host against the Britons. And after the Britons had taken refuge in the woods and valleys, William returned home empty-handed, having gained naught'. In neither of these references is there any suggestion that the Welsh had started to build their own castles. The earliest reliable reference to a Welsh lord building a castle appears in the entry in the *Brut y Tywysogyon* for the year 1111 when Cadwgan ap Bleddyn was slain at Welshpool where he had, 'thought to stay and make a castle'. Five years later reference is made to a castle that Uchdryd ab Edwin built at Cymer and the remains of a motte, without a bailey, still survive at that site just north of Dolgellau.

There are another ten or so references in the *Brut y Tywysogyon* to Welsh lords building castles in the twelfth century and most of these are of the motte and bailey type although, in some instances, the bailey is omitted, and one example is a ring-work. It would seem, therefore, that the Welsh started building castles in the early part of the twelfth century and that these were modelled on contemporary Norman examples. Giraldus Cambrensis, writing in the closing years of the twelfth century, states that the Welsh were, 'taught the use of arms and the management of horses by the English and Normans (with whom they had much intercourse, by following the court, or by being sent as hostages)'. Furthermore, various statements in the *Brut y Tywysogyon* suggest that they had also learnt the art of be-sieging and capturing castles.

The use of the same castle types means that, without any historical reference or evidence from archaeological excavation, it is impossible to distinguish from the surviving evidence whether a particular earthwork was originally a Norman or Welsh castle (the large and very powerful eleventh century Norman earthworks such as those at Rhuddlan and at Aberlleiniog in Anglesey are obvious exceptions to this rule). Although the number of references to the Welsh building castles

yr Eingl-Sacsoniaid o dan un brenin, arfer tywysogion Cymru oedd talu gwrogaeth i frenin Lloegr a cheisio cael ei gefnogaeth i'w hymdrechion i sicrhau goruchafiaeth iddynt eu hunain. Dyna hanfod y berthynas rhwng tywysogion Gwynedd a brenin Lloegr yn y ddeuddegfed a'r drydedd ganrif ar ddeg. Ym 1095 gorymdeithiodd byddin William II ar draws Cymru i Domen y Mur ger Trawsfynydd, a dilynwyd hyn ym 1114 gan dair byddin Harri I a groesodd Gymru a chyfarfod yn Nhomen y Mur.

is very limited, there are, nevertheless, numerous others referring to them capturing and occupying castles originally built by the Normans. It is still difficult, however, to determine to what extent the Welsh used earthwork castles. When Gruffydd ap Cynan's sons Owain and Cadwaladr captured the Norman castles in Ceredigion in 1136–7, they kept only one. In 1147 Cadwaladr built a new castle at Cynfael near Tywyn and two years later Owain built probably the finest Welsh earthwork castle at Tomen y Rhodwydd in the commote of Iâl but both of these are on the borders of Gwynedd and were probably built with that

Tomen y Rhodwydd–golwg o'r awyr o'r de-ddwyrain

Tomen y Rhodwydd – aerial view from the south-east

Parodd hyn gymaint o arswyd nes gorfodi Gruffydd ap Cynan i gytuno â thelerau'r brenin. Er gwaethaf y problemau hyn, daeth llinach tywysogion Gwynedd o dan Ruffydd ap Cynan a'i feibion yn gryfach nag unrhyw dywysogion eraill yng Nghymru yn ystod hanner cyntaf y ddeuddegfed ganrif. Ym 1157, wrth geisio rhwystro ymdrechion Owain Gwynedd i ymestyn ffiniau Gwynedd, daeth Harri II â'i luoedd i Ogledd Cymru a chyfarfod ag Owain ym mrwydr Cynswllt, rhywle yng nghyffiniau Dinas Basing. Trechwyd Owain a bu rhaid iddo ffoi tua'r gorllewin. Symudodd y brenin ymlaen i Ruddlan, ac yno daeth Owain ac yntau i gytundeb. Bu'r brenin yn llai llwyddiannus ym 1165 pan ddaeth ef â byddin i Gymru unwaith eto. Gorfodwyd ef i droi'n ôl, nid gan y Cymry ond gan y tywydd melltigedig. Yn ystod ail hanner y ddeuddegfed ganrif daeth cryn lewyrch hefyd ar arglwyddiaeth y Deheubarth o dan Rys ap Gruffydd, yr Arglwydd Rhys, ond bu rhannu'r arglwyddiaeth rhwng ei etifeddion ym 1197 yn ergyd farwol i undod De Cymru. O hynny tan y Goresgyniad, tywysogion Gwynedd fyddai'r rhai mwyaf blaenllaw yng Nghymru.

strategic consideration in mind. It certainly seems reasonable to assume that, in certain instances, Welsh lords may have built earthwork castles for strategic reasons in order to control an important area of territory but it is unlikely that they adopted the Norman practice of having a castle in every commote. Traditionally, the lord's commotal residence or *llys* was lightly protected within an enclosure, perhaps surrounded by a palisade or stone wall.

Ever since the time of Alfred the Great, when Anglo-Saxon England had been unified under one King, the leading Welsh rulers had been accustomed to do homage to the English king, and, in this way, gain his support for their endeavours for superiority in Wales. This is the central thread which runs through the relationship between the English king and the House of Gwynedd in the twelfth and thirteenth centuries. King William II's march across Wales to Tomen y Mur near Trawsfynydd in 1095 was followed by a much greater show of royal strength when, in 1114, three armies under the command of King Henry I again crossed Wales, meeting up at Tomen y Mur, in an action so terrifying that Gruffydd ap Cynan offered no resistance and submitted to the king's terms. Despite these temporary setbacks, the House of Gwynedd, under Gruffydd ap Cynan and his sons became the most powerful in Wales during the first half of the twelfth century. In 1157, in an effort to curb Owain Gwynedd's policy of extending the borders of Gwynedd, King Henry II invaded north Wales and was met by Owain in the Battle of Coleshill, somewhere near Basingwerk. Owain was outmanoeuvered and forced to disengage and retreat westwards. The king advanced to Rhuddlan where he and Owain came to terms. The king was less successful in 1165 when, once again, he led an army against Owain only to be forced to retreat not by the Welsh but by the appalling weather. The second half of the twelfth century also saw the rise of the House of Deheubarth under Rhys ap Gruffydd, the Lord Rhys, but the division of his inheritance in 1197 was to prove fatal to the unity of south Wales. From now on until the Edwardian Conquest the House of Gwynedd was to dominate Welsh affairs.

Cestyll Cynnar o Gerrig

Ym 1191, wrth ysgrifennu ei Daith drwy Gymru, *a ddisgrifiai daith a wnaethai ym 1188, dywed Gerallt Gymro "gosodwyd o'r newydd ddau gastell o gerrig: y naill yn Eifionydd, yng nghyfeiriad mynyddoedd y Gogledd, a berthynai i feibion Cynan, a'i enw Deudraeth; a'r llall, y tu arall i'r afon, yng nghyfeiriad y môr, ym Mhenrhyn Llŷn, a berthynai i feibion Owain, a'i enw Carn Fadryn". Mae'n debyg mai Deudraeth oedd y mwnt yng Nghastell Aber Iâ ger Porthmadog. Fe'i codwyd ar graig naturiol ac yn wreiddiol safai tŵr o gerrig ar ei chopa. 'Cynan' oedd Cynan ab Owain Gwynedd: mae'n debyg mai ei feibion Gruffydd, a fu farw ym 1200, a Maredudd, a fu farw ym 1212, a reolai'r rhan fwyaf o Wynedd i'r gorllewin o afon Conwy tua diwedd y ddeuddegfed ganrif. Codwyd Carn Fadryn y tu mewn i gaer fryniog gynhanesyddol ar ben bryn anghysbell yng ngorllewin Llŷn, ac yno ceir mur o gerrig sychion o amgylch cefnen greigiog gul, patrwm sy'n ddigon tebyg i fwnt a beili.*

Mae'r ddau safle'n amlygu dwy duedd bwysig, ond cwbl wahanol, yn natblygiad y castell Cymreig tua diwedd y ddeuddegfed ganrif ac yn ystod y drydedd ganrif ar ddeg. Wrth godi cestyll o gerrig yr oedd y Cymry weithiau fel petaent yn cyfuno technegau'r Saeson â'r hen ddull o godi adeiladau o gerrig ar safleoedd anhygyrch. Ychydig i'r gogledd-ddwyrain o Garn Fadryn mae caer gynhanesyddol arall sydd ag amddiffynfa ar wahân ar gopa'r bryn. Dangosodd y cloddio archaeolegol mai rywbryd yn ystod cyfnod y Rhufeiniaid, neu'n union wedyn, y bu pobl yn byw yno. Ond er bod sawl canrif rhyngddynt mae'r gaer fach hon ar Garn Boduan a chastell Carn Fadryn yn syndod o debyg i'w gilydd o ran cymeriad, a dengys hyn fod dilyniant i draddodiad codi'r cestyll. Yr ochr arall i Eryri, ym Mhenycastell ym Maenan ac i'r dwyrain o afon Conwy, ceir castell sydd ag amddiffynfeydd tebyg i rai Carn Fadryn.

Trafodir eto'r thema o gyfuno traddodiadau adeiladu yn natblygiad cestyll y Cymry, ond yn y cyfamser rhaid troi'n ôl at y newidiadau yn nhechnegau'r Saeson o godi cestyll yn ystod y cyfnod hwn. Digon byr fu oes llawer o gestyll pridd a phren y Normaniaid gan i lawer gael eu dinistrio bron cyn gynted ag y'u codwyd, ond datblygodd rhai'n gestyll sylweddol a disodlwyd yr adeiladau pren yn raddol

Early Stone Castles

Giraldus Cambrensis in his *Itinerary Through Wales,* written in about 1191 as the result of a journey undertaken in 1188 mentions that, 'two stone castles have newly been erected; one called Deudraeth, belonging to the sons of Conan, situated in Eifionydd, towards the northern mountains; the other called Carn Madryn, the property of the sons of Owen, built on the other side of the river towards the sea, on the head-land Lleyn'. Deudraeth appears to be the motte at Castell Aber Iâ near Porthmadog. This was built over a natural rock outcrop and originally had a stone tower on its summit. Conan can be identified as Cynan the son of Owain Gwynedd; his sons Gruffydd, who died in 1200, and Maredudd, who died in 1212, probably controlled the greater part of Gwynedd west of the Conwy in the closing years of the twelfth century. Carn Madryn built by the sons of Owain Gwynedd, has been identified in the past as Carn Fadryn, an isolated hill-top site in the western part of the Lleyn peninsula. The castle is situated at the summit, within an earlier prehistoric hillfort, and consists of a dry-stone masonry wall enclosing a narrow rocky ridge, the topography of which roughly resembles a motte and bailey.

These two sites illustrate two important but quite distinct trends that can be identified in the development of the Welsh castle in the late twelfth and thirteenth centuries. When building in stone, the Welsh appear, on occasions, to have combined the techniques that they had learnt from the English with a pre-existing style of building fortifications in stone often on isolated and naturally well-defended sites. Just to the north-east of Carn Fadryn there is another prehistoric hillfort which has a separate fortified area on its summit. As a result of archaeological excavation, the occupation of this site can be generally dated to sometime during the Roman or immediate post-Roman period. However, despite a difference of several hundreds of years, this small fort at Garn Boduan and the castle at Carn Fadryn are strikingly similar in character and here there are clear indications of a continuity in building tradition. Another castle, with similar defences to Carn Fadryn, exists on the other side of

gan adeiladau o gerrig. Er i'r Normaniaid, am resymau milwrol, godi cestyll pridd a phren yng Nghymru yn ystod rhan helaeth o'r unfed ganrif ar ddeg a'r ganrif ddilynol, rhaid pwysleisio bod cestyll o gerrig wedi eu codi yn Lloegr yn weddol fuan ar ôl 1066. Weithiau fe ddisodlwyd tyrau pren ar ben ambell fwnt gan rai o gerrig, er bod llwyddiant hynny'n dibynnu i raddau helaeth ar sefydlogrwydd y mwnt. Codwyd y castell Cymreig cyntaf yn Nolwyddelan cyn codi'r castell o gerrig gerllaw, a hynny ar fwnt naturiol bryncyn creigiog. Mae'n debyg fod yno dŵr o gerrig ar ei gopa, fel yr oedd yng Nghastell Aber Iâ. Ar ochr ogleddol Cwm Prysor, ychydig i'r dwyrain o Drawsfynydd, saif castell mwnt a beili Cymreig hynod drawiadol. Codwyd y mwnt, fel yn Aber Iâ, ar dwmpath creigiog, ond yn yr achos hwn mân gerrig yw'r rhan fwyaf o'r mwnt. Er ei fod bellach wedi adfeilio'n arw, yr oedd i'r mwnt yn wreiddiol wyneb o gerrig a morter. Ni oroesodd unrhyw olion o'r tŵr. I'r gogledd o'r mwnt mae beili bychan. Yr unig gyfeiriad hanesyddol at y safle yw llythyr a anfonwyd oddi yno gan Edward I ar 1 Gorffennaf 1284. Mae'n bosibl mai yn ystod ail hanner y ddeuddegfed ganrif neu ychydig yn ddiweddarach, ar ddechrau'r drydedd ganrif ar ddeg, y codwyd y castell hwn.

Snowdonia at Pen-y-Castell in Maenan to the east of the Conwy Valley.

This theme of different building traditions combining in the development of the Welsh castle will be discussed again later. In the meantime it is necessary to return to the changes taking place in English castle building during this period. Many Norman earthwork castles were very short-lived, often being destroyed almost as soon as they were built, but some developed into major fortifications and the timber buildings were gradually replaced by stone ones. It should be emphasised that, although for military reasons the Normans built earthwork castles in Wales for much of the eleventh and twelfth centuries, in England stone castles were being erected within a few years of the conquest. In some cases timber keeps on top of mottes were being replaced with stone ones although the success of such a move was very much dependent on the structural stability of the mound. The first Welsh castle at Dolwyddelan, which pre-dated the nearby stone castle, was built on a natural motte consisting of a conical rocky hillock and appears to have had a stone keep on its summit as did Castell Aber Iâ, mentioned above. A particularly impressive Welsh motte and bailey castle stands on the northern side of the Prysor valley, just to the east of Trawsfynydd. Like that at Aber Iâ, the mound has been built up over a natural boss of rock but, in this case, the material of the mound mainly consists of stone rubble. Now very ruinous, the motte was originally faced or revetted with mortared masonry. No evidence of the keep has survived. To the north of the motte there is a small bailey. The only historical reference to the site was a letter sent from it by King Edward I on 1 July 1284. It could have been built sometime during the second half of the twelfth century or, a little later, in the early thirteenth.

Cestyll Llywelyn ab Iorwerth (Llywelyn Fawr)

Erbyn 1201, ar ôl i'r naill gefnder farw ac iddo drechu'r llall, daeth Llywelyn ab Iorwerth, Llywelyn Fawr, yn bennaeth ar Wynedd gyfan. Dair blynedd yn ddiweddarach, ar ôl dychwelyd o Normandi, dechreuodd y brenin John, a oedd hefyd yn un o arglwyddi'r Gororau, ymddiddori'n frwd ym materion Cymru. Y flwyddyn honno, talodd Llywelyn wrogaeth iddo a phriodi ei ferch anghyfreithlon, Joan (Siwan). Yn ystod y chwe mlynedd nesaf daeth Llywelyn yn gymaint o ben ar arglwyddi eraill Cymru nes i'r brenin John, gyda chymorth arglwyddi eraill yng Nghymru, ddod â byddin yn ei erbyn a'i orfodi i dderbyn ei delerau. Ym 1215 ochrodd Llywelyn gyda phlaid y barwniaid yn erbyn John, gan ddod i gytundeb â theulu de Braose. Priododd ei ferch Gwladus â Reginald de Braose gan feithrin cysylltiad cryf, felly, rhyngddo ac un o arglwyddi pwysig y Gororau a oedd hefyd yn berchen tir yn ardal Aberhonddu. Ym 1222, priododd Helen, merch Llywelyn, â John the Scot, nai ac etifedd Ranulf de Blundeville, chweched Iarll Caer. Dengys hyn mai Llywelyn oedd arglwydd grymusaf y Cymry. Gwanhaodd sefyllfa'r brenin John yng Nghymru yn sgîl yr ymrafael rhyngddo a'i farwniaid, a thrwy fanteisio ar hynny llwyddodd Llywelyn a'i gynghreiriaid i reoli'r rhan fwyaf o'r wlad erbyn diwedd 1215. Y flwyddyn ddilynol lluniodd Llywelyn gytundeb yn Aberdyfi, pan rannodd Dde Cymru rhwng ei gynghreiriaid yn y fath fodd fel na bu fawr o newid yn y trefniadau hynny weddill ei oes.

Ar safleoedd naturiol gadarn, y tu allan i hen ganolfannau'r cantrefi neu'r cymydau, y safai'r cestyll o gerrig a godwyd gan Lywelyn Fawr yn ystod y cyfnod hwnnw.[1] Saif tri chastell y gellir eu priodoli i Lywelyn ar gyrion deheuol a dwyreiniol Gwynedd. Y mwyaf deheuol yw Castell y Bere, a godwyd ar glogwyn creigiog yn rhan uchaf Dyffryn Dysynni i'r gogledd-ddwyrain o Dywyn, a hwnnw

1 Ar ddiwedd y llawlyfr hwn ceir disgrifiad byr a darlun o gynllun pob un o'r prif gestyll a enwir yn y ddwy adran nesaf, a gellir cyfeirio atynt wrth ddarllen yr ychydig dudalennau nesaf.

The Castles of Llywelyn ab Iorwerth (Llywelyn the Great)

By 1201, after one of his cousins had died and he had overthrown the other, Llywelyn ab Iorwerth had emerged as the ruler of the whole of Gwynedd. Three years later, following his return from Normandy, King John, as a marcher lord in his own right, began to take an active interest in Welsh affairs. In the same year Llywelyn paid homage to him and married his natural daughter Joan. During the next six years Llywelyn strengthened his position by asserting his supremacy over other Welsh lords to such an extent that, in order to curb his power, King John, with the support of other Welsh lords, launched a highly successful expedition against Llywelyn in 1211 and forced him to come to terms. In 1215 Llywelyn sided with the baronial party against King John and entered into an alliance with the de Braose family, marrying his daughter Gwladus to Reginald de Braose: thus he established strong links with an important marcher lordship with lands in the Brecon area. In 1222 his daughter Helen married John the Scot, the nephew and heir of Ranulf de Blundeville, sixth Earl of Chester. These alliances reflect Llywelyn's position as the premier lord in Wales. King John's dispute with his barons had weakened his position in Wales and, taking advantage of this, Llywelyn and his allies gained control of most of the country by the end of 1215. The following year Llywelyn drew up a settlement at Aberdyfi whereby he divided south Wales amongst his allies in such a way that the arrangements made were not substantially altered during his lifetime.

The stone castles that Llywelyn built during this period were sited in naturally strong positions away from the older centres of cantref or commote.[1] Three castles which may be attributable to Llywelyn, can be identified on the southern and eastern borders of Gwynedd. Castell y Bere, the most southerly, situated on an isolated rock outcrop in the upper part of the Dysynni valley

1 A brief description, accompanied by ground-plans, of the principal castles mentioned in the next two sections of text, is provided at the end of the guide and readers may wish to refer to this when reading the next few pages.

north-east of Tywyn, is generally taken to be the castle referred to in an entry in the *Brut y Tywysogyon* for the year 1221 when, 'Llywelyn took from Gruffudd (*his son*) the cantref of Meirionnydd and the commot of Arudwy. And he began to build a castle there for himself'. Further to the north-east, Castell Carndochan, situated some 1100 feet (335 m) above sea-level, overlooks the valley of the Afon Lliw. This enigmatic castle is completely undocumented but its style of building is such that it must date to this period. Finally, just to the south of the mouth of the River Dee, at the very eastern extremity of Gwynedd, is the secluded site of Ewloe Castle. Here, once again, the design and positioning of the keep or Welsh Tower suggests that it may have been the first stone structure on the site and

Castell Ewloe – golwg o'r awyr o'r gorllewin (Aerofilms Cyf)

Ewloe Castle–aerial view from the west (Aerofilms Ltd)

mae'n debyg yw'r castell y cyfeirir ato yn y cofnod ym Mrut y Tywysogion *ar gyfer 1221, 'Ac yna y duc Llywelyn y ar Ruffudd* (ei fab) *cantref Meirionnyd a chymwt Ardudwy. A dechreu adeilat castell yno a wnaeth idaw ehun'. I'r gogledd-ddwyrain saif Castell Carndochan ryw 1100 o droedfeddi (335 m) uwchlaw lefel y môr, gan warchod cwm afon Lliw. Tipyn o ddirgelwch yw'r castell hwn gan nad oes yr un cyfeiriad ato mewn unrhyw ddogfen, ond dengys y ffordd y'i codwyd ei fod yn perthyn i'r cyfnod hwn. Ac yn olaf, ychydig i'r de o aber afon Dyfrdwy, ym mhen dwyreiniol eithaf Gwynedd, mae safle diarffordd castell Ewloe. Yma eto fe awgryma cynllun a safle'r gorthwr, neu'r tŵr Cymreig, mai hwn o bosibl oedd yr adeilad cyntaf o gerrig ar y safle ac mai castell o waith Llywelyn ydoedd. Pen cromfannol, hynny yw ar ffurf 'D' hir, sydd i brif dyrau Cestyll Carndochan ac Ewloe a thyrau gogleddol a deheuol Castell y Bere.*

Gorthwr sgwâr neu betryal oedd i fwyafrif y cestyll Seisnig a godwyd yn ystod y ddeuddegfed ganrif. Ar ddiwedd y ganrif honno a dechrau'r ganrif ddilynol y gwelwyd gyntaf yng Nghymru godi'r gorthwr mawr crwn, y donjon *yr oedd yn anos ei ddymchwelyd trwy durio odano. Mae'r tŵr cromfannol fel petai'n cyfuno nodweddion y ddau fath: ehangai'r pen crwn gylch saethu yr amddiffynwyr, i ryw raddau, ac er bod y rhan hirsgwar yn haws i ymosodwyr ei thanseilio, ceid tipyn mwy o le ynddo. Y tŵr cromfannol yn Ewloe yw'r unig un sylweddol sy'n dal i sefyll, ond o gofio tyrau cestyll eraill y Cymry, rhaid i'r tyrau cromfannol gynnwys llawr neu islawr gyda phrif ystafell a mynedfa ar lefel y llawr cyntaf. Lleolwyd tyrau'r tri chastell yn ofalus er mwyn manteisio i'r eithaf ar werth strategol eu pennau cromfannol, yn enwedig wrth warchod prif fynedfa'r castell. Mae'n anodd darganfod union darddiad y tŵr cromfannol. Yr adeilad tebycaf yw'r gorthwr yng Nghastell Helmsley yn Swydd Efrog, a godwyd ddechrau'r drydedd ganrif ar ddeg. Yma, defnyddiwyd y cromfan er mwyn i'r milwyr gael saethu o'r ochr ar hyd y llenfur cyfagos a godwyd yr un pryd â'r gorthwr. Mae'n bosibl mai dynwared tŵr Helmsley a wnaed, ond mae'n debycach mai datblygiad brodorol oedd y tŵr cromfannol yng Nghymru.*

Codi llenfur di-fwlch ac ynddo dyrau cylchog neu hanner cylch a alluogai'r milwyr i saethu ar hyd y

was perhaps the work of Llywelyn. The principal towers at Castell Carndochan and Ewloe Castle and the northern and southern towers at Castell y Bere have one apsidal end, giving the appearance of an elongated letter 'D'.

Throughout the twelfth century the majority of English tower keeps had been either square or rectangular in shape. The great round keep or *donjon*, which was less vulnerable to attack by undermining, first made its appearance in Wales at the end of the twelfth century and early part of the thirteenth. The apsidal tower has the appearance of a hybrid incorporating features taken from both. The rounded end improved the defenders' field of fire, if only over a restricted area, and the rectangular shape, although more susceptible to mining, provided spacious accommodation. Only the apsidal tower at Ewloe survives to any height, but on the basis of other towers at Welsh castles, these apsidal towers must have consisted of a ground floor or basement with the main apartment and entrance at the first floor level. At all three castles the towers have been carefully positioned to maximise the strategic advantage of their apsidal ends, particularly in guarding the main approach to the castle. It is difficult to discover a precise origin for the apsidal tower. The closest comparable building is the keep at Helmsley Castle in Yorkshire which was built at the beginning of the thirteenth century. Here the apse was adopted for the specific purpose of providing flanking fire along the face of the adjacent and contemporary curtain wall. The idea of using such a tower could have been copied from Helmsley but it is more likely that its adoption in Wales is an indigenous development.

The introduction of the continuous curtain wall, with its circular or semi-circular flanking towers providing covering fire along the line of the wall, was the major development in English castle building in the late twelfth century and early thirteenth. The curtain walls at Castell y Bere and Castell Carndochan are less substantial than those of most of their English counterparts and the towers have not been positioned in such a way as to provide any effective flanking fire. Consequently, the towers and curtain do not

Castell y Bere o'r gorllewin

Castell y Bere from the west

llenfur, dyna oedd prif ddatblygiad y dechneg o godi cestyll yn Lloegr ar ddiwedd y ddeuddegfed ganrif a dechrau'r ganrif ddilynol. Mae llenfuriau Castell y Bere a Chastell Carndochan yn llai sylweddol na rhai'r mwyafrif o gestyll yr oes yn Lloegr ac ni leolwyd y tyrau i hwyluso saethu o'r ochr. Prin, felly, fod y tyrau a'r llenfur yn cynnig amddiffynfa unedig. Yn lle hynny, cysylltai'r llenfur y tyrau gan amgylchynu'r cwrt a'r adeiladau a safai ynddo.

Dibynnai effeithiolrwydd yr amddiffynfeydd hyn i ryw raddau ar y mathau o arfau a ddefnyddid. Prif arf milwyr Gwynedd yn ystod y cyfnod hwn oedd y bicell, tra ceid saethwyr bwâu croes yng ngarsiynau cestyll Lloegr, ac yr oedd y llenfur di-fwlch a'i dyrau cylchog yn berffaith ar gyfer y bwa croes. Er hynny mae'r holltau saethu yn nhŵr deheuol Castell y Bere a'r tŷ porth yng Nghricieth (a drafodir yn nes ymlaen) yn awgrymu ei bod yn bosibl fod rhai saethwyr bwa croes i'w cael yng ngarsiynau rhai o'r cestyll Cymreig, ond at ei gilydd ni ddarparwyd fawr ddim ar eu cyfer.

Heblaw am y tŵr cromfannol, mae'r cerrig di-drefn a phrin eu morter yn llenfur a thyrau Castell Carndochan yn atgoffa dyn am y safleoedd cynharach yng Ngharn Fadryn a Phen y Castell, ac nid ydynt ond un cam ymlaen o'r amddiffynfa gyntefig, frodorol. Yr unig ran o'r castell a godwyd yn gadarn yw'r tŵr cromfannol, ac mae'n bosibl mai seiri maen a ddaeth yno'n arbennig i'w godi ac mai gweithwyr lleol a gododd y gweddill. Mae'r tŵr hwn a'r tŵr yn Ewloe bron o'r un maint, a'r tyrau yng Nghastell y Bere ychydig yn fwy. Y rhain yw'r unig dri chastell â thyrau cromfannol mawr, a hwyrach nad yw'n gyd-ddigwyddiad mai hwy hefyd yw'r cestyll sydd ar gyrion Gwynedd. Mae'n bosibl mai yn ystod y degawd ar ôl y cytundeb yn Aberdyfi, tua'r un adeg â chodi Castell y Bere, y dechreuwyd codi cestyll Ewloe a Charndochan, a bod y tri'n amlygu ymdrech Llywelyn i atgyfnerthu ei ffin ddeheuol gyda'i gynghreiriaid newydd, a'i ffin ddwyreiniol gyda'r Saeson.

Afon Conwy yw'r ffin naturiol rhwng Gwynedd i'r gorllewin a thir y Pedwar Cantref i'r dwyrain. Ar ôl croesi'r afon gellid treiddio i Eryri. Heddiw, mae castell enfawr o gyfnod Edward I yn gwarchod y groesfan hon; yng nghyfnod Llywelyn, fe warchodid y groesfan gan gastell a ymestynnai dros ddau fryncyn cyfagos ar safle naturiol gryf yn Negannwy,

combine to provide an integrated system of defence. Rather the curtain wall acts as a means of linking the towers one to another and enclosing the courtyard and its various buildings.

The effectiveness of these defences was dependent to some extent on the types of weapon being used by the defenders. The principal weapon used by the men of Gwynedd during this period was the long spear. English castle garrisons included crossbowmen and the continuous curtain wall with its flanking mural towers was ideally suited to the use of the crossbow. Having said this, the arrowloops in the south tower at Castell y Bere and the gatehouse at Criccieth (to be discussed later) suggest that some crossbowmen may have been employed as part of the garrison of some Welsh castles but, in the main, very little provision has been made for their use.

Excepting the apsidal tower, the poorly mortared random masonry of the curtain wall and towers at Castell Carndochan is, in many ways, reminiscent of the earlier sites of Carn Fadryn and Pen-y-Castell and is just one stage removed from the traditional type of hilltop defence. The only well-built part of the castle is the apsidal tower and it is possible that this may have been built by masons brought in specifically for that purpose and that the rest of the work was done by local labour. This tower and that at Ewloe are nearly the same size, when viewed in ground plan, while those at Castell y Bere are somewhat larger. These are the only three castles with these large apsidal towers and it may be no coincidence that they are also the three border castles. Both Ewloe and Carndochnn, like Castell y Bere, may have been started during the decade that followed the settlement at Aberdyfi. As such, they may represent an attempt by Llywelyn to secure his southern border with his new found allies and his eastern border with the English.

The River Conwy forms a natural barrier between the heartland of Gwynedd to the west and the much fought over land of the Four Cantrefs to the east. Once crossed, Snowdonia could be penetrated. Today the western side of this crossing is guarded by a formidable Edwardian fortress: in the time of Llywelyn a similar role was fulfilled by a castle, stretching over two

adjacent hills of considerable natural strength, at Deganwy on the opposite side of the river estuary. Archaeological excavation at this site has revealed a long rich history going back to the late Roman period. The few remains visible on the site today belong to the castle rebuilt on the site by King Henry III although some slight traces of Llywelyn's castle still survive.

Llywelyn built four castles within the innermost rampart of Gwynedd. That at Dolwyddelan replaced an earlier motte (described above) and guarded the principal routeway through Snowdonia along the Lledr valley from Nant Conwy to Meirionnydd. At the southern end of the next major valley to the west, Nant Gwynant, there are the slight remains of another similar tower sited at the north-eastern end of the small craggy hill of Dinas Emrys. The rock-cut ditches to the east and west of Dolwyddelan Castle emphasise the

Castell y Bere fel yr ymddangosai, o bosibl, ar ddiwedd y drydedd ganrif ar ddeg. O'r darlun gan Alan Sorrell

Castell y Bere as it might have appeared at the end of the thirteenth century. From the drawing by Alan Sorrell

ar lan arall yr aber. Dangosodd gwaith cloddio'r archaeolegwyr fod i'r safle hanes hir a chyfoethog sy'n mynd yn ôl i ddiwedd y cyfnod Rhufeinig. Mae'r ychydig olion sy'n weladwy heddiw yn perthyn i'r castell a ail-godwyd ar y safle gan y brenin Harri III er bod ychydig o ôl castell Llywelyn yn dal yno hefyd.

Cododd Llywelyn bedwar castell i warchod canol Gwynedd. Cymerodd Castell Dolwyddelan le'r mwnt cynharach (a ddisgrifiwyd eisoes) gan warchod y brif ffordd drwy Eryri ar hyd cwm Lledr o Nant Conwy i Feirionnydd. Ym mhen deheuol y cwm mawr nesaf i'r gorllewin, Nant Gwynant, ceir olion prin tŵr arall tebyg ar ben gogledd-ddwyreiniol bryn bychan creigiog Dinas Emrys. Mae'r ffosydd a dorrwyd i'r graig i'r dwyrain a'r gorllewin o Gastell Dolwyddelan yn amlygu safon uchel y gwaith cloddio a geid mewn llawer o'r cestyll Cymreig. Digon bychan oedd gorthwr deulawr gwreiddiol Dolwyddelan o'i gymharu â chestyll yr un cyfnod yn Lloegr, ond yn ôl safonau Cymry'r adeg honno rhaid ei fod yn adeilad go drawiadol, a daliodd y Cymry i godi tyrau petryal tan y Goresgyniad.

Dylanwadwyd yn drwm ar ddau gastell arall Llywelyn gan ei gysylltiadau â'i gymdogion, arglwyddi'r Gororau, boed hwy'n elynion neu'n gyfeillion. Cyfeiriwyd eisoes at ei gysylltiadau trwy briodas â theuluoedd de Braose a de Blundeville. Ar ddiwedd y ddeuddegfed ganrif a dechrau'r ganrif ddilynol, cododd William Marshall orthwr crwn mawr neu donjon *fel rhan o'i gastell newydd ym Mhenfro. Cododd Hubert de Burgh, cynghreiriad Marshall yn erbyn Llywelyn a de Braose, dŵr tebyg yng Nghastell Ynysgynwraidd yn y 1220au. Ceir enghreifftiau eraill o'r gorthwr crwn a godwyd yn ne-ddwyrain y Gororau yn ystod y cyfnod hwn, yng nghestyll Tretŵr, Caldicot a Longtown ac yng Nghastell Bronllys, a godwyd, mae'n bur sicr, gan Walter Clifford III, gŵr Margaret, un arall o ferched Llywelyn. Ymhellach tua'r dwyrain, cododd William Marshall II ddau dŵr anferth yng Nghastell Cilgerran yn ystod y 1220au. Ni fu'r tyrau hyn erioed yn ffasiynol yn Lloegr, ac fe'u ceir yn bennaf yn y Gororau lle byddai croeso cynnes i'r datblygiadau milwrol diweddaraf. I'w diogelu rhag cael eu tanseilio, codwyd rhai o'r tyrau hyn ar ben twmpathau, ar ben hen fwnt fel arfer. Byddai gan y mwyafrif oriel bren a ymwthiai*

high quality of ditching work found at many Welsh castles. The keep, originally consisting of just two storeys, was modest by comparison with its English counterparts, but by Welsh standards it must have been a fine building in its day and rectangular towers continued to be built by the Welsh up until the Edwardian Conquest.

The design of Llywelyn's remaining two castles was heavily influenced by his contacts, as enemy or ally, with his marcher lord neighbours. His marriage alliances with the de Braose and de Blundeville families have already been mentioned. In the closing years of the twelfth century and early years of the thirteenth, William Marshall built the great round keep or donjon as part of his new castle at Pembroke. His ally against the Llywelyn-de Braose alliance, Hubert de Burgh, built another similar tower at Skenfrith Castle during the 1220s. Other examples of round keeps, built in the south-east Marches during this period, can be found at the castles of Bronllys (almost certainly built by Walter Clifford III whose wife, Margaret, was another of Llywelyn's daughters), Tretower, Caldicot and Longtown while, further west, William Marshall II built two massive towers at Cilgerran Castle also during the 1220s. These keeps never became fashionable in England and are mainly found in the Marches where the latest military developments would have been readily welcomed. Some of these towers were protected from mining by being placed on top of mounds, usually pre-existing mottes, and most would have had a wooden gallery or hoarding which projected out from the wall-head providing a fighting platform, immediately above the external wall-face, that could be used for dropping missiles on an attacker.

The strength of these towers must have been all too apparent to Llywelyn and this, coupled no doubt with considerations of prestige, may have made him decide, probably during the late 1220s or 1230s, to build a similar keep at Dolbadarn Castle on the western side of Llyn Peris, below and to the north of Llanberis Pass. In having a second upper storey, a newel stair and a portcullis, this tower is somewhat grander than other Welsh towers. However, it is not built on an artificial mound and the garderobe buttress is at variance

Castell Dolwyddelan o'r gorllewin

Dolwyddelan Castle from the west

o ben uchaf y mur, a gellid defnyddio'r rhain fel llwyfan ymladd a gollwng arfau ar ben yr ymosodwyr.

Rhaid bod cryfder y tyrau hyn yn gwbl amlwg i Lywelyn. Hyn, ynghyd â'i awydd i ennyn clod a pharch, mae'n siŵr, a barodd iddo benderfynu ar ddiwedd y 1220au neu ddechrau'r 1230au y codai ef dŵr tebyg yng Nghastell Dolbadarn ar lan orllewinol Llyn Peris islaw Bwlch Llanberis. O gael dau lawr uwch, grisiau tro â philer canolog a phorthcwlis, mae'r tŵr hwn beth yn fwy trawiadol na gweddill y tyrau Cymreig. Ond ni chodwyd mohono ar dwmpath gwneud ac mae ateg y geudy'n wahanol i ategion tebyg yng nghestyll Lloegr–sy'n grwn y tu

with similar buttresses on English castles. All of these are externally rounded and rise to the full height of the battlements. That at Dolbadarn has squared corners and a pent roof below the line of the battlements thus making this part of the tower more vulnerable to attack. The rather insubstantial drystone buildings that extend to the north and south of the keep are clearly in an entirely different building tradition. They could have been built before or after the keep, which forms a straight joint with the adjacent curtain wall, but are unlikely to be contemporary with it unless, as has been suggested in the case of Castell

allan ac yn codi i lawn uchder y castell. Corneli sgwâr a tho ar oledd islaw rhagfuriau'r castell sydd i ateg Dolbadarn, gan beri bod y rhan hon o'r tŵr yn fwy agored i ymosodiadau. Mae'n amlwg bod yr adeiladau ansylweddol o gerrig sych i'r gogledd ac i'r de o'r gorthwr yn perthyn i draddodiad cwbl wahanol o adeiladu. Gellid bod wedi eu codi cyn neu ar ôl y gorthwr–sy'n ffurfio uniad syth â'r llenfur gerllaw–ond go brin y'u codwyd hwy yr un pryd â'r gorthwr oni chodwyd hwnnw, fel yr awgrymwyd yn achos Castell Carndochan, gan seiri maen a ddaeth yno'n arbennig i'w godi. Ym 1228 rhoes y brenin Harri III gastell newydd Trefaldwyn i Hubert de Burgh, ac fe ymosododd Llywelyn yn aflwyddiannus arno ddwywaith, ym 1230 a 1231, cyn i'r castell gael ei gwblhau ym 1232. Ac er bod y tŷ porth cryf a'r ward afreolaidd ei ffurf yn drawiadol o debyg eu cynllun i ward mewnol Castell Cricieth, mae'n debyg mai cestyll cymydog Hubert de Burgh, Ranulf de Blundeville, oedd prif ysbrydoliaeth cynllun manwl tŷ porth castell Cricieth.

Ar ôl dychwelyd o'r Croesgadau ym 1220, aeth Ranulf de Blundeville ati i godi cestyll yn Beeston yn Swydd Gaer, yn Bolingbroke yn Swydd Lincoln ac yn Chartley yn Swydd Stafford. Yn sgîl priodas ei nai â merch Llywelyn, sefydlwyd perthynas gwbl newydd rhwng yr iarllaeth a llinach tywysogion Gwynedd. Mae'r rhan fwyaf o'r tŷ porth mewnol yn Beeston yn dal yno ond dinistriwyd y cwbl o'r tŷ porth yn Bolingbroke uwchlaw'r llawr cyntaf. Yn y ddau le, codwyd dau dŵr ffurf 'D' ochr yn ochr yn dŷ porth syml a oedd, er hynny, yn enghraifft gynnar o'i fath. Cysylltwyd y llenfur ag ochrau'r tyrau. Yn Beeston, yr oedd dwy bont godi, porthcwlis, dwy hollt saethau yn y naill dŵr a'r llall, a phâr o ddrysau cadarn yn gwarchod mynedfa'r castell. Nenfwd pren oedd i fynedfa'r porth ac ni fyddai'n fawr o werth pe ceid tân. Codwyd tŷ porth tebyg yng Nghricieth. Mae'r tyrau'n hirach ac yn debycach i bâr o orthyrau cromfannol ac mae'r llenfur yn cysylltu â chefnau'r tyrau. Diogelir y tŷ porth gan dair hollt saethu ym mhob tŵr, porthcwlis a phâr o gatiau. Nid oedd angen pont godi, ac yn wahanol i Beeston, nenfwd o gerrig sydd i'r fynedfa. Ymwthiai oriel bren neu lwyfan ymladd yn wreiddiol o ran uchaf y tyrau. Yn Nhrefaldwyn, Beeston a Chricieth yr oedd rhai o brif ystafelloedd y castell yn y tai porth hyn.

Carndochan, the keep was built by masons brought in specifically for that purpose.

In 1228 King Henry III granted the new castle at Montgomery to Hubert de Burgh and it was unsuccessfully attacked by Llywelyn in that year and again in 1231 before being finally completed in 1232. Its strong gatehouse and irregularly shaped ward are strikingly similar in design to the inner ward at Criccieth Castle on the south coast of the Lleyn peninsula. However it was the castles of Hubert de Burgh's northern neighbour, Ranulf de Blundeville, that appear to have provided the main inspiration behind the detailed design of the Criccieth gatehouse.

Ranulf de Blundeville, upon his return from the Crusades in 1220, began a major programme of castle building at Beeston in Cheshire, Bolingbroke in Lincolnshire and Chartley in Staffordshire. The marriage of his nephew to Llywelyn's daughter established a new and totally unprecedented relationship between the earldom and the House of Gwynedd. Most of the inner gatehouse at Beeston has survived but that at Bolingbroke has been reduced to first-floor level. In both cases, two D-shaped towers have been placed side-by-side to form a simple gatehouse which was, nevertheless, an early example of its type. The curtain wall was joined to the side of the towers. At Beeston the approach to the gate was guarded by two arrowloops in each tower, a drawbridge and portcullis and a pair of doors. The inner part of the passage had a wooden ceiling which would have provided a poor defence against fire. A gatehouse of similar design was built at Criccieth. The towers are longer and more like a pair of apsidal keeps and the curtain wall links into the back of the towers. The gateway is protected by three arrowloops in each tower, a portcullis and a pair of gates. No drawbridge was necessary. Unlike Beeston, the entrance passage has a stone vault. The upper part of the towers originally supported a wooden gallery or fighting platform. At Montgomery, Beeston and Criccieth these gatehouses also provided some of the principal accommodation in the castle.

Dating the different phases of building work at Criccieth Castle has proved somewhat problematical. However, the striking similarities between

Castell Dolbadarn o'r gogledd-orllewin

Dolbadarn Castle from the north-west

Castell Cricieth–golwg o'r awyr o'r gogledd-orllewin

Criccieth Castle–aerial view from the north-west

Gwaith digon dyrys yw ceisio pennu dyddiad codi'r gwahanol adeiladau yng Nghastell Cricieth, ond awgryma'r tebygrwydd trawiadol rhwng arddull y tŷ porth ac arddull tai porth Beeston, a thebygrwydd cynllun y ward mewnol yma ac yn Nhrefaldwyn, nad afresymol fyddai priodoli codi'r rhan hon o'r castell i Lywelyn. Ac mae'r tŷ porth mor wahanol i weddill y ward mewnol nes awgrymu bod Llywelyn wedi cyfuno datblygiadau diweddaraf y dechnoleg filwrol â chynllun mwy cyfarwydd, gan barhau, felly, yr hen ddull mympwyol, Cymreig o godi cestyll. Unwaith eto, nid oes modd bod yn sicr na ddaethpwyd â seiri maen yma o'r tu allan i godi'r tŷ porth, a gellir dyfalu ar sail hyn oll mai rhywbryd yn ystod y 1230au y codwyd tŷ porth Cricieth.

the style of the gatehouse with those at Beeston and Bolingbroke and the layout of the inner ward with Montgomery Castle suggests that it might not be unreasonable to ascribe the building of this part of the castle to Llywelyn. Furthermore, the gatehouse is in such marked contrast to the rest of the inner ward that, as at Dolbadarn, Llywelyn appears to have adopted the latest advances in military technology and combined them with a castle design with which he was familiar while still retaining the somewhat haphazard Welsh castle building style. Again the use of outside masons to build the gatehouse cannot be ruled out. On the basis of these comparisons, the work at Criccieth might be dated to sometime during the 1230s.

Cestyll Llywelyn ap Gruffydd (Llywelyn Ein Llyw Olaf)

Flwyddyn ar ôl marwolaeth Llywelyn Fawr, yr oedd dau o'i gestyll yn nwylo'r Saeson. Yr oedd ei fab, Dafydd, wedi dinistrio Castell Degannwy yn hytrach na'i ildio i'r Saeson, a gorfu iddo ildio rhan o'i diroedd dwyreiniol, gan gynnwys Ewloe, i'r brenin. Ail-godwyd Degannwy'n fuan gan Harri III. Trwy Gytundeb Woodstock, a wnaed gyda'r brenin ym 1247, flwyddyn ar ôl marw Dafydd, collodd Gwynedd ei holl diroedd i'r dwyrain o afon Conwy. Ym 1255 daeth Llywelyn ap Gruffydd, "Llywelyn Ein Llyw Olaf" ac ŵyr Llywelyn Fawr, yn bennaeth ar Wynedd, ac erbyn 1267 ef oedd arglwydd y Gymru Gymraeg, ffaith a gydnabuwyd gan Harri

The Castles of Llywelyn ap Gruffydd (Llywelyn the Last)

Within a year of his death, two of Llywelyn ab Iorwerth's castles were in English hands. His son, Dafydd, had destroyed Deganwy, rather than surrender it to the English, and had been forced to surrender part of his eastern lands, including Ewloe, to the king. Deganwy was soon rebuilt by King Henry III. By the Treaty of Woodstock concluded with the king in 1247, a year after Dafydd's death, the House of Gwynedd lost all its lands to the east of the Conwy. In 1255 Llywelyn ap Gruffydd, grandson of Llywelyn ab Iorwerth, became sole ruler of Gwynedd and by 1267 was overlord of the whole of Welsh Wales, a

Croes o'r drydedd ganrif ar ddeg o Gastell Cricieth (Trwy ganiatâd Amgueddfa Genedlaethol Cymru)

Thirteenth-century crucifix from Criccieth Castle (By permission of National Museum of Wales)

III yng Nghytundeb Trefaldwyn, pryd y derbyniodd ef wrogaeth Llywelyn fel Tywysog Cymru. Bedair blynedd ynghynt, yr oedd Llywelyn wedi cipio Castell Degannwy gan ddinistrio cymaint arno fel nad adferwyd mohono byth wedyn. Ni welwyd codi'r un amddiffynfa arall ar lannau afon Conwy tan i Edward I oresgyn Gwynedd. Rhywbryd tua 1257, ar ôl ad-ennill Castell Ewloe fe atgyfnerthodd Llywelyn y castell hwnnw trwy godi llenfur cerrig o amgylch y wardiau uchaf ac isaf a chodi'r tŵr mawr crwn yn y pen gorllewinol.

Mae'n debyg hefyd mai Llywelyn ap Gruffydd a gododd y ddau dŵr petryal yng Nghastell Dolwyddelan, y tŵr gorllewinol a'r tŵr de-orllewinol, ynghyd â rhan ddeheuol ward allanol Castell Cricieth. Nid oes gan yr un o gestyll Llywelyn Fawr borth cymhleth fel porth Castell y Bere ac mae'n bosibl bod hwn wedi ei ychwanegu at y castell gan Lywelyn ap Gruffydd, neu hyd yn oed gan Edward I yn ddiweddarach. Ym 1273 dechreuodd Llywelyn godi Castell Dolforwyn ar gyrion dwyreiniol eithaf

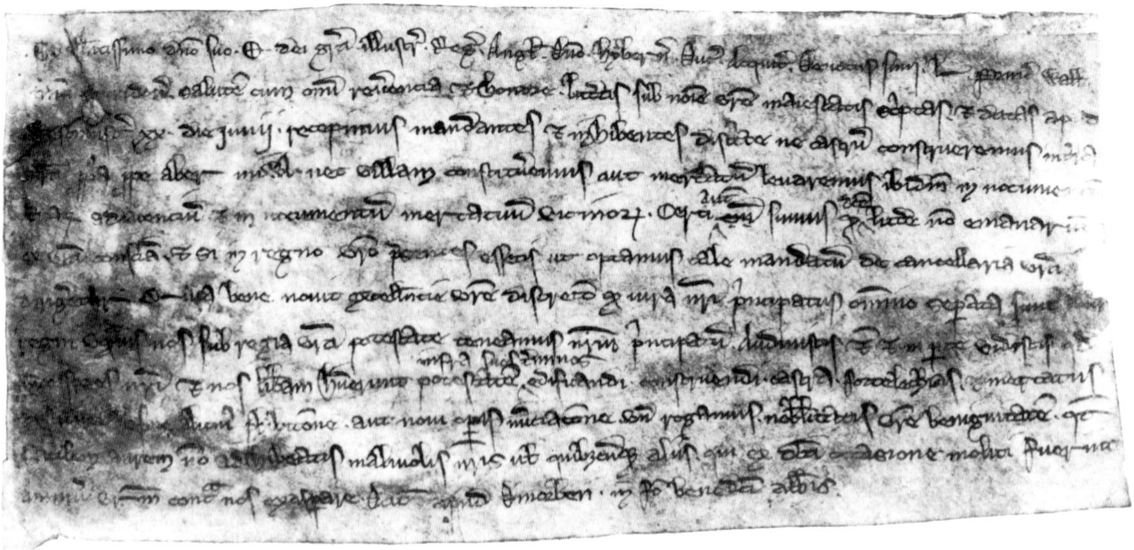

Rhan o lythyr oddi wrth Lywelyn ap Gruffydd at Edward I, dyddiedig 11 Gorffennaf 1273, lle mae Llywelyn yn yn datgan ei hawl i godi castell o fewn ei Dywysogaeth yn Nolforwyn (Swyddfa Cofnodion Cyhoeddus)

Part of a letter from Llywelyn ap Gruffydd to King Edward I, dated 11 July 1273, in which Llywelyn asserts his right to build a castle within his Principality at Dolforwyn (Public Record Office)

fact recognised by King Henry III in the Treaty of Montgomery when he accepted Llywelyn's homage as Prince of Wales. Four years earlier Llywelyn had captured Deganwy Castle and slighted it so thoroughly that it was never to rise again and the Conwy was to be defenceless until the Edwardian Conquest. In about 1257, having regained Ewloe castle, he strengthened it by adding a stone curtain wall around the lower and upper wards and building the substantial round, west tower.

The second or western tower at Dolwyddelan Castle and the south-western tower, also of rectangular plan, together with the southern part of the outer ward at Criccieth Castle were probably also built by Llywelyn ap Gruffydd. Comparisons cannot be found amongst Llywelyn ab Iorwerth's castles for the elaborate entrance arrangements at Castell y Bere, and it is possible that these were added by Llywelyn ap Gruffydd or even King Edward I at a later date. In 1273 Llywelyn ap Gruffydd started to build Dolforwyn Castle on the eastern edge of his territory above the western bank of the River Severn. Attached to the western end of the castle was a small town. This potential threat right on their borders raised a howl of protest from the English regents who, in the king's absence, demanded that Llywelyn abandon the project. He, in turn, wrote to the

ei deyrnas uwchlaw glan orllewinol afon Hafren, ac wrth ben gorllewinol y castell hwnnw cododd tref fechan. Ymateb arweinwyr y Saeson, yn absenoldeb y brenin, oedd protestio'n groch a mynnu bod Llywelyn yn rhoi'r gorau i'r cynllun. Anfonodd Llywelyn brotest ysgrifenedig at y brenin, a bwrw ymlaen â'r adeiladu. Erbyn heddiw nid oes dim ar ôl o'r dref a phrin iawn yw gweddillion gweladwy y castell. Mae'n bosibl fod rhai newidiadau wedi eu gwneud iddo erbyn 1321 pryd y cofnodwyd bod yno dŵr crwn, tŵr sgwâr, capel, neuadd, siambr yr arglwyddes, pantri, bwtri, cegin, seler, bragdy a phopty.

Ar fryn serth uwchlaw Dyffryn Llangollen saif adfeilion Castell Dinas Brân. Codwyd y castell hwn, gyda'i ffos ddofn, gan arglwyddi Powys Fadog rywbryd yn ystod y 1260au mae'n debyg. Golwg bur hynafol sydd i'r gorthwr, ac er ei fod gryn dipyn yn fwy, gellir ei gymharu â Thŵr Canol Castell y Bere a godwyd rhyw ddeng mlynedd ar hugain ynghynt. Mae'r tŵr cromfannol gryn dipyn yn fyrrach na'r rhai cromfannol cynharach ac yn debycach i dyrau Seisnig ffurf 'D' o'r un cyfnod. Mae'n amlwg mai cynllun Seisnig sydd i'r tŷ porth cul, ond oherwydd cyfyngiadau'r safle codwyd tyrau uchel a chul yno. Mae'n haws cymharu mynedfa addurnedig y porth â phorth eglwys nag â phorth castell.

Gwrthododd Llywelyn droeon â thalu gwrogaeth i Edward I, a hynny ynghyd â chwynion eraill fu achos y rhyfel ym 1276. Gwarchaewyd Castell Dolforwyn a'i gipio yn Ebrill 1277. Ym mis Mai dewisodd garsiwn Dinas Brân roi'r gorau i'w castell a'i losgi yn hytrach na'i ildio. Ac wrth i'r Saeson drechu Tegeingl a chodi Castell y Fflint fe bylodd pwysigrwydd milwrol Castell Ewloe. Yng Nghytundeb Aberconwy ym 1277, rhoes Edward I gantrefi Rhufoniog a Dyffryn Clwyd yn wobr i Ddafydd, brawd Llywelyn. Cafodd hefyd diriogaeth yr Hob, a dechreuodd godi castell yno. Saif y castell hwnnw, yr olaf o'r cestyll Cymreig, ar fryn serth uwchlaw afon Alun, ac er ei bod yn dra thebyg na chwblhawyd mohono mae tua chwarter y cerrig gwreiddiol yn dal i sefyll. Er bod Dafydd o linach tywysogion Gwynedd, treuliodd gryn amser yn llys brenin Lloegr, ac mae ei gastell yn ddrych o'r ddeuoliaeth honno. Mae'r tyrau gogleddol a dwyreiniol, y ddau ar ffurf 'D', yn fwy Seisnig eu cynllun, ond Cymreig ddigon yw'r llenfur afreolaidd a safle anffodus y tŵr.

king in an aggrieved manner and continued building. Today nothing remains of the town and the castle is in a very ruinous state with only a few fragments of masonry visible. The castle may have undergone some alterations by 1321 when an inventory describes a round tower, square tower, chapel, hall, lady's chamber, pantry, buttery, kitchen, cellar, brewery and bakehouse.

On a steep hill just north of Llangollen and overlooking the Dee valley stand the ruins of Castell Dinas Brân. This castle with its deep rock-cut ditch, was built by the lords of Powys Fadog, probably sometime during the 1260s. Its rectangular keep has a slightly antiquated look about it and, although considerably larger, can be compared with the Middle Tower at Castell y Bere built some thirty years before. The apsidal tower is much shorter than the earlier apsidal keeps and has more in common with contemporary English D-shaped mural towers. The narrow gatehouse clearly follows an English model but, because of the restricted nature of the site, the towers have been built as long narrow structures. It is easier to find ecclesiastical rather than military comparisons for the elaborately decorated gate passage.

Llywelyn's repeated refusal to do homage to King Edward I, together with other associated grievances, led to the outbreak of war in 1276. Dolforwyn Castle was besieged and captured in April 1277. In May the garrison at Dinas Brân opted to abandon and burn their castle rather than to surrender, while with the English conquest of Tegeingl and the building of Flint Castle, Ewloe ceased to have any further military significance. By the Treaty of Aberconwy in 1277, the king rewarded Llywelyn's brother Dafydd with the two cantrefs of Rhufoniog and Dyffryn Clwyd and the territory of Hope where he began to build a castle. This, the last Welsh castle ever to be built, is situated on the summit of a steep hill above the River Alun. About a quarter of the original masonry survives although the castle was probably never completed. Dafydd, by birth and upbringing a lord of Gwynedd, spent a considerable time at the English court. This juxtaposition of allegiances is reflected in his castle. The D-shaped north and east towers are more English in plan and

Y tebyg yw mai Castell Caergwrle (Yr Hob) oedd canolfan Dafydd pan ymosododd ar Gastell Penarlâg ar 21 Mawrth 1282. Hyn fu cychwyn rhyfel 1282–83. Dinistriodd Dafydd ei gastell newydd a'i adael. O orfod wynebu penbleth mor ddyrys, ochrodd

Castell Dinas Brân–golwg o'r awyr o'r de-ddwyrain

Castell Dinas-Brân – aerial view from the south-east

yet the irregular line of the curtain wall and the seemingly ill-conceived positioning of the tower is very Welsh in character.

Caergwrle (Hope) Castle was presumably used as a base for Dafydd's attack on Hawarden Castle on 21 March 1282. This sparked off the war of 1282–3. Dafydd slighted and abandoned his newly-built castle. Faced with an impossible dilemma, Llywelyn sided with his brother and led Welsh resistance to the inevitable invasion by

Castell Caergwrle (Yr Hob)–golwg o'r awyr o'r gogledd

Caergwrle (Hope) Castle–aerial view from the north

Llywelyn gyda'i frawd ac arwain gwrthwynebiad y Cymry i oresgyniad anochel lluoedd Edward I. Lladdwyd Llywelyn mewn ymrafael byr wrth Bont Irfon ger Llanfair-ym-Muallt ar 11 Rhagfyr 1282. Y mis Ionawr dilynol, croesodd byddin Edward I y grib rhwng dyffrynnoedd Clwyd a Chonwy gan feddiannu Castell Dolwyddelan ar ôl gwarchae byr. Erbyn canol mis Mawrth yr oedd Castell Cricieth wedi syrthio ac ar ôl gwarchae byr fe ildiodd Castell y Bere, y castell Cymreig olaf, ar 25 Ebrill 1283.

King Edward's forces. By the end of the year Llywelyn was dead having been killed in a brief engagement at Irfon Bridge near Builth Wells on 11 December 1282. The following January King Edward's army crossed the watershed from the Clwyd to the upper waters of the Conwy and, after a brief siege, captured Dolwyddelan Castle. By the middle of March Criccieth Castle had been occupied and, after a short siege, Bere, the last Welsh castle, surrendered on 25 April 1283.

Pen o garreg, portread o Lywelyn ab Iorwerth o bosibl, y cafwyd hyd iddo yng Nghastell Degannwy (Trwy ganiatâd Amgueddfa Genedlaethol Cymru)

A Stone head, possibly of Llywelyn ab Iorwerth, found at Deganwy (By permission of the National Museum of Wales)

Disgrifiadau byr
Gazetteer

Cyfeiria'r disgrifiadau byr hyn at y cestyll y cyfeiriwyd atynt yn nwy adran ddiwethaf y llawlyfr. Wrth enw pob castell nodir Cyfeirnod Grid Cenedlaethol (CGC) *y safle, gwybodaeth am berchnogaeth, mynediad i'r cyhoedd, a chyfeiriadau at ddeunydd darllen pellach.*

The following brief descriptions are of castles mentioned in the last two sections of the guidebook text. Each entry is accompanied by the National Grid Reference (NGR) for the site, information about public access and a reference to further reading.

Castell y Bere, Llanfihangel y Pennant, Gwynedd

CGC: SH 667085

Fe'i codwyd gan Lywelyn Fawr. Y safle ar graig gul a benderfynodd gynllun y castell, sef triongl afreolaidd gyda thyrau ar yr onglau neu yn eu hymyl. Y ddau dŵr cromfannol ym mhen deheuol a phen gogleddol y gefnen a warchodai'r mynediad ato. Awgryma'r gwaith cerrig cain a ddarganfuwyd wrth gloddio'r Tŵr Gogleddol y bu capel ar y llawr cyntaf, tra byddai'r Tŵr Deheuol yn cynnwys ystafelloedd preifat, mae'n debyg, ac yn gallu gwrthsefyll gwarchae hyd yn oed pe câi'r cwrt ei feddiannu. Y tŵr petryal ar frig y gefnen oedd y prif dŵr neu'r gorthwr, yn ôl pob tebyg. Amddiffynnid y porth gan ffosydd, pontydd codi a gwarchodfan allanol gyda thŵr petryal y naill ochr iddo a thŵr crwn bychan yr ochr arall.

Y Swyddfa Gymreig: Mynediad ar unrhyw adeg resymol

CYFEIRIAD *L. A. S. Butler, 'Medieval Finds from Castell-y-Bere, Merioneth'*, Archaeologia Cambrensis, CXXIII (*1974*), *td 78–112.*

Castell y Bere, near Tywyn, Gwynedd

NGR: SH 667085

Built by Llywelyn ab Iorwerth, the layout of the castle, as an irregularly shaped triangular enclosure with towers at or near the angles, is dictated by the narrow spur on which it was placed. The two apsidal towers at the northern and southern ends of the ridge guarded the approaches. Fine decorated stonework found during excavation of the North Tower suggests that it had a chapel on the first floor while the South Tower, standing on its own, probably contained private apartments and was capable of sustaining a siege after the courtyard had fallen. The rectangular tower on the summit of the ridge appears to have served as the principal tower or keep. The gateway was defended by ditches and drawbridges and a barbican and was flanked by the rectangular tower and a small round tower.

Welsh Office: Access at any reasonable time

REFERENCE L. A. S. Butler, 'Medieval Finds from Castell-y-Bere, Merioneth', *Archaeologia Cambrensis*, CXXIII (1974), pp 78–112.

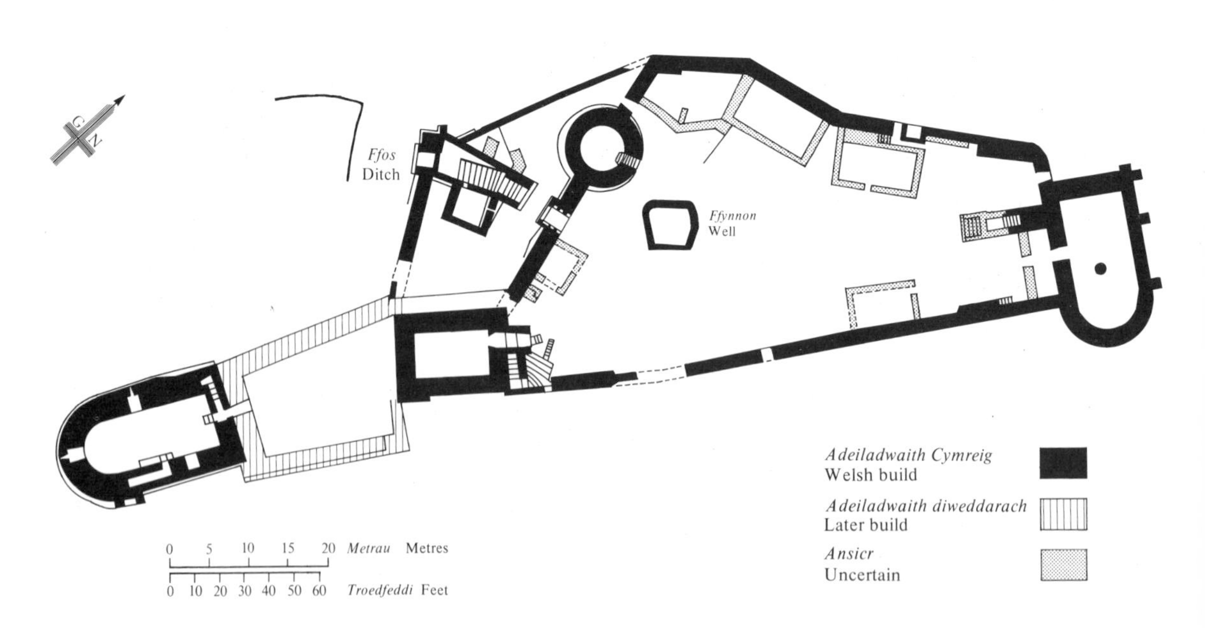

Yn ôl Butler (1974)

After Butler (1974)

Castell Caergwrle, Clwyd

CGC: SJ *307572*

Mae castell Dafydd ap Gruffydd, a godwyd rhwng 1277 a 1282 ar gornel de-orllewinol copa'r bryn, yn manteisio i'r eithaf ar amddiffynfa naturiol gadarn y safle, a chwblheir yr amddiffynfa gan ffos ddofn tua'r gogledd. Cysylltai'r llenfur y tŵr crwn deheuol â'r tyrau cromfannol yn y dwyrain a'r gogledd. Ni chwblhawyd y tŵr deheuol anferth i bob golwg, a diflannodd llenfur yr ochr orllewinol yn gyfan gwbl. Mae'n amlwg bod y gwaith o godi'r castell yn dal i fynd rhagddo pan ymosododd Dafydd ar Gastell Penarlâg.

Awdurdod Lleol: Hawl mynediad i'r cyhoedd

CYFEIRIAD *D. J. Cathcart King, 'Two Castles in Northern Powys: Dinas Brân and Caergwrle'*, Archaeologia Cambrensis, CXXIII (*1974*), *td 113–39*.

Caergwrle (Hope) Castle, Clwyd

NGR: SJ 307572

Dafydd ap Gruffydd's castle, built between 1277 and 1282 on the summit of a hill at its south-western corner, takes full advantage of the strong natural defences of the site. A formidable ditch on the north completes the defences. The curtain wall linked the circular south tower to the apsidal or D-shaped east and north towers. The massive south tower gives every appearance of never having been completed and the curtain wall is missing from the entire length of the western side of the enclosure. Clearly, building works were still in progress when Dafydd attacked Hawarden Castle.

Local Authority: Public right of access

REFERENCE D. J. Cathcart King, 'Two Castles in Northern Powys: Dinas Brân and Caergwrle', *Archaeologia Cambrensis*, CXXIII (1974), pp 113–39.

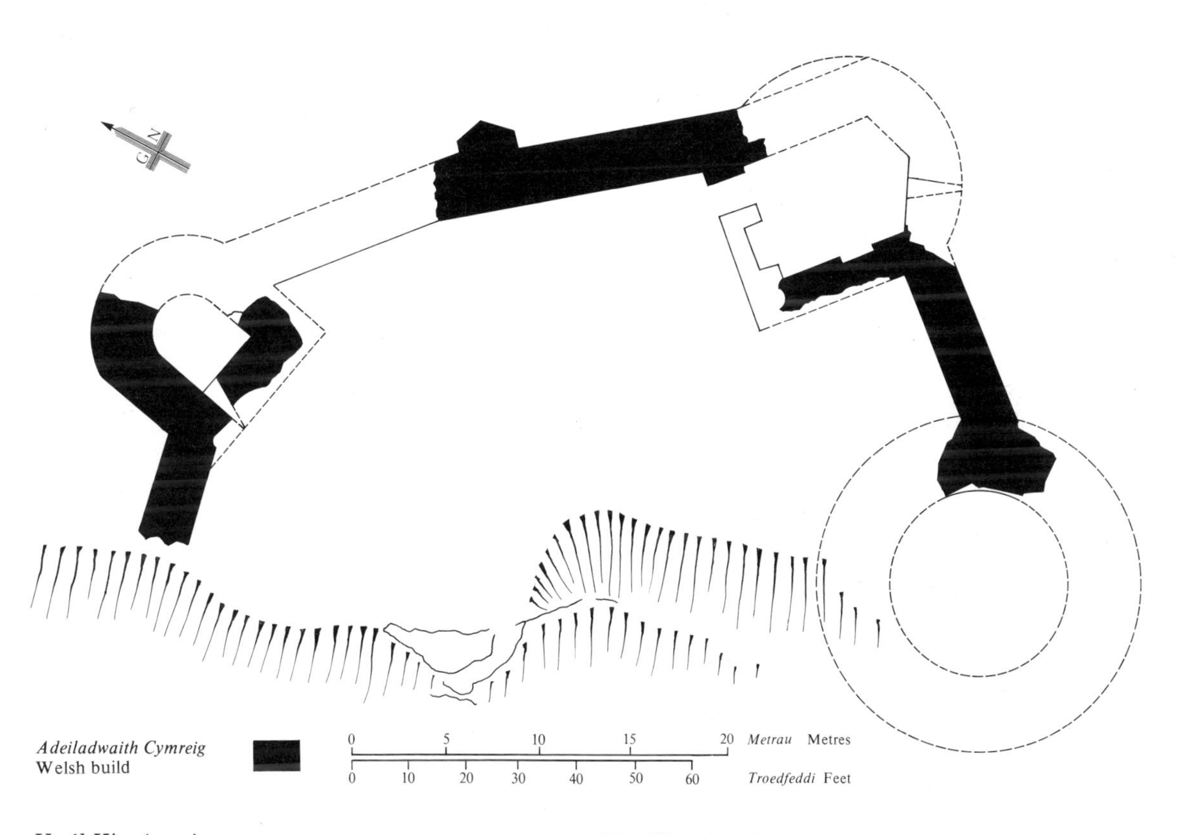

Yn ôl King (1974)

After King (1974)

Castell Carndochan, Llanuwchllyn, Gwynedd

CGC: SH *847306*

Mae'r castell hwn wedi dadfeilio'n arw, ond mae'n fwy na thebyg mai Llywelyn Fawr a'i cododd ar ymyl ogledd-ddwyreiniol y gefnen, a ffos wedi ei thorri i'r graig rhyngddo a gweddill y gefnen. Mae olion y llenfur prin ei forter yn amgylchynu darn hirgrwn afreolaidd, ac yn y canol ceir sylfeini adeilad a oedd bron yn sgwâr. O fewn cylch y llenfur mae tŵr hanner crwn ar yr ochr ddeheuol a thŵr crwn yn y pen gogledd-ddwyreiniol, ill dau wedi eu codi yn yr un dull. Ym mhen de-orllewinol y castell ceir sylfeini tŵr cromfannol a gwaith morter trwm yn dal arnynt. Nid oes olion porth yn unman.

Eiddo Preifat: Dim hawl mynediad i'r cyhoedd

CYFEIRIAD *A.H.A.Hogg, 'Castell Carndochan',* Journal of the Merioneth Historical and Record Society, II *(1953–56), td 178–80.*

Castell Carndochan, near Bala, Gwynedd

NGR: SH 847306

This very ruinous castle, probably built by Llywelyn ab Iorwerth, is at the north-eastern end of a ridge the rest of which it is separated from by a rock-cut ditch. The poorly mortared remains of the curtain wall enclose an irregular oval-shaped area with the foundations of an almost square building in the centre of it. Included within the circuit of the curtain wall and built in the same style of masonry are, on the south side, a semi-circular tower and, at the north-eastern end, a round tower. At the south-western end of the castle are the well-mortared foundations of an apsidal tower. No evidence of a gateway survives.

Private Ownership: No public right of access

REFERENCE A. H. A. Hogg, 'Castell Carndochan', *Journal of the Merioneth Historical and Record Society*, II (1953–56), pp 178–80.

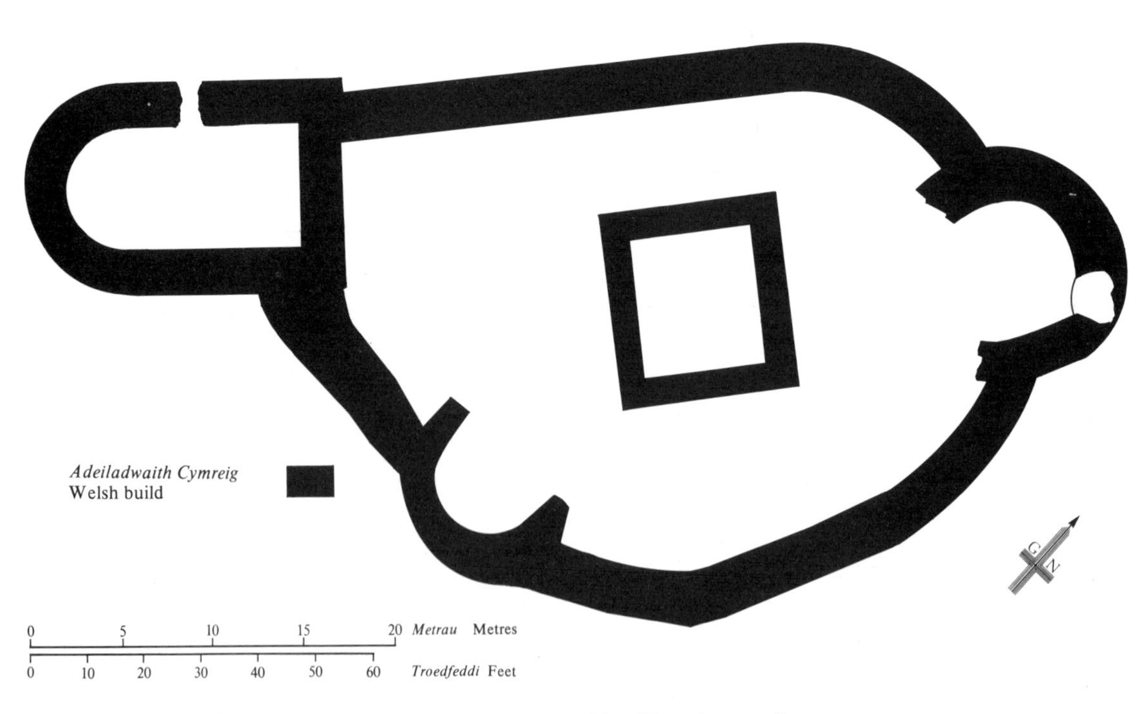

Yn ôl Hogg (1953–56)

After Hogg (1953–56)

Castell Cricieth, Gwynedd CGC: SH *499376*

Dechreuodd Llywelyn Fawr godi castell yng Nghricieth tua 1230. Yr oedd iddo dŷ porth trawiadol, a helaethwyd gan Edward I, y tŵr petryal de-ddwyreiniol a'r llenfur o amgylch y ward mewnol. Ychwanegodd Llywelyn ap Gruffydd y llenfur o amgylch rhan ddeheuol y ward allanol ynghyd â'r tŵr de-orllewinol, lle cafwyd hyd i rai enghreifftiau cain o waith carreg. Mae'n bosibl bod y llenfur wedi ei gysylltu â chornel gorllewinol y ward mewnol cynharach, a bod y tŵr gogleddol gyda'i lwyfan ar gyfer peiriant hyrddio cerrig hefyd yn perthyn i'r un cyfnod, ond mae'n fwy tebygol mai Edward I a'i hychwanegodd.

Y Swyddfa Gymreig: Yr oriau agor safonol

CYFEIRIAD Criccieth Castle, *Llawlyfr Swyddogol, Y Swyddfa Gymreig.*
Y Comisiwn Brenhinol ar Henebion (Cymru), Inventory for Caernarvonshire, Volume II: Central, (*1960*), *td 59–62.*

Criccieth Castle, Gwynedd NGR: SH 499376

Around or shortly after 1230 Llywelyn ab Iorwerth started to build a castle at Criccieth. This consisted of the imposing gatehouse, later to be heightened by King Edward I, the rectangular south-east tower and the curtain wall surrounding the inner ward. Llywelyn ap Gruffydd added the south-west tower, from which some fine examples of decorated stonework have been excavated, and the curtain wall enclosing the southern part of the outer ward. This may have been linked to the western corner of the earlier inner ward. The northern, engine, tower with its platform for a large stone-throwing machine could also date to this period although it is more probable that it was added by King Edward I.

Welsh Office: Standard hours of opening

REFERENCE *Criccieth Castle* Official Handbook, Welsh Office.
Royal Commission on Ancient and Historical Monuments (Wales), *Inventory for Caernarvonshire, Volume II: Central*, (1960) pp 59–62.

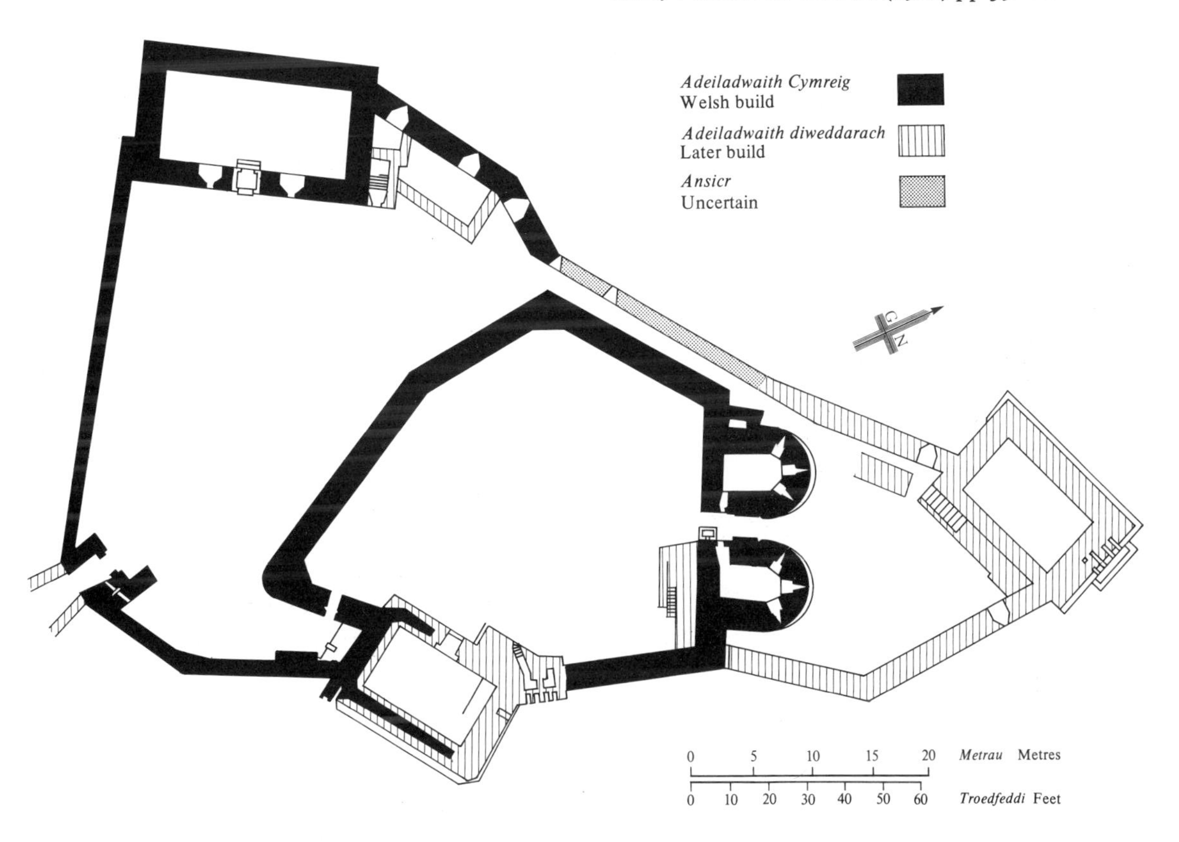

Castell Degannwy, Gwynedd CGC: SH *782794*

Mae adfeilion prin castell Llywelyn Fawr ar y safle hanesyddol bwysig hwn, sy'n dyddio o gyfnod y Rhufeiniaid, yn cynnwys mur cynnal celfydd ar ymyl ogleddol y bryn mwyaf gorllewinol, ychydig o olion llenfur o'r cyfnod cyn dyddiau Harri I ac, o bosibl, sylfeini'r tŵr crwn yn y gogledd-orllewin.

Eiddo Preifat: Hawl mynediad i'r cyhoedd.

CYFEIRIAD *L. Alcock, 'Excavations at Deganwy Castle, Caernarvonshire, 1961–6'*, Archaeological Journal, CXXIV *(1967), td 190–201.*
Y Comisiwn Brenhinol ar Henebion (Cymru), Inventory for Caernarvonshire, Volume I: East, (1956), *td 152–5.*

Deganwy Castle, Gwynedd NGR: SH 782794

The few remains of Llywelyn ab Iorwerth's castle which survive on this historically important site, dating back through the Dark Ages to the Roman period, consist of a well-laid revetment wall on the northern edge of the most westerly hill and slight traces of pre-Henrician curtain wall and also possibly the foundations of the round north-western tower.

Private Ownership: Public right of access

REFERENCE L. Alcock, 'Excavations at Deganwy Castle, Caernarvonshire, 1961–6', *Archaeological Journal*, CXXIV (1967), pp 190–201.
Royal Commission on Ancient and Historical Monuments (Wales), *Inventory for Caernarvonshire, Volume I: East*, (1956), pp 152–5.

Castell Dinas Brân, Llangollen, Clwyd

CGC: SJ *223431*

Codwyd y castell hwn gan arglwyddi Powys Fadog yn ystod y 1260au, mae'n debyg, ar lwyfan hirsgwar y tu mewn i gaer fryniog, gynhanesyddol. I atgyfnerthu'r safle ymhellach, cloddiwyd ffos ddofn yn y graig i'r de ac i'r dwyrain o'r castell. Ym mhen dwyreiniol y gorthwr petryal ceid grisiau allanol yn arwain at fynedfa i'r llawr cyntaf; y tŵr cromfannol (ar ffurf "D"), a safai o flaen y llenfur deheuol, oedd pen gorllewinol y neuadd. Yng nghornel ogledd-ddwyreiniol y safle, codwyd tŷ porth hir a chul, a'r fynedfa trwyddo'n cynnwys cyfres o arcedau wedi eu croesfowtio.

Eiddo Preifat: Hawl mynediad i'r cyhoedd

CYFEIRIAD *D.J.Cathcart King, 'Two Castles in Northern Powys: Dinas Brân and Caergwrle',* Archaeologia Cambrensis, CXXIII *(1974), td 113–39.*

Castell Dinas Brân, near Llangollen, Clwyd

NGR: SJ 223431

Built by the lords of Powys Fadog probably during the 1260s, this castle stands on a rectangular platform within an earlier prehistoric hillfort. The natural defences of the site were supplemented by a deep rock-cut ditch to the south and east of the castle. The rectangular keep at its eastern end was entered at first floor level by an external flight of stone steps. The apsidal or D-shaped tower, projecting from the south curtain, formed the western end of the hall. A long narrow gatehouse, with a passage divided into cross-vaulted bays, was squeezed into the north-eastern corner of the site.

Private Ownership: Public right of access

REFERENCE D. J. Cathcart King, 'Two Castles in Northern Powys: Dinas Brân and Caergwrle', *Archaeologia Cambrensis,* CXXIII (1974), pp 113–39.

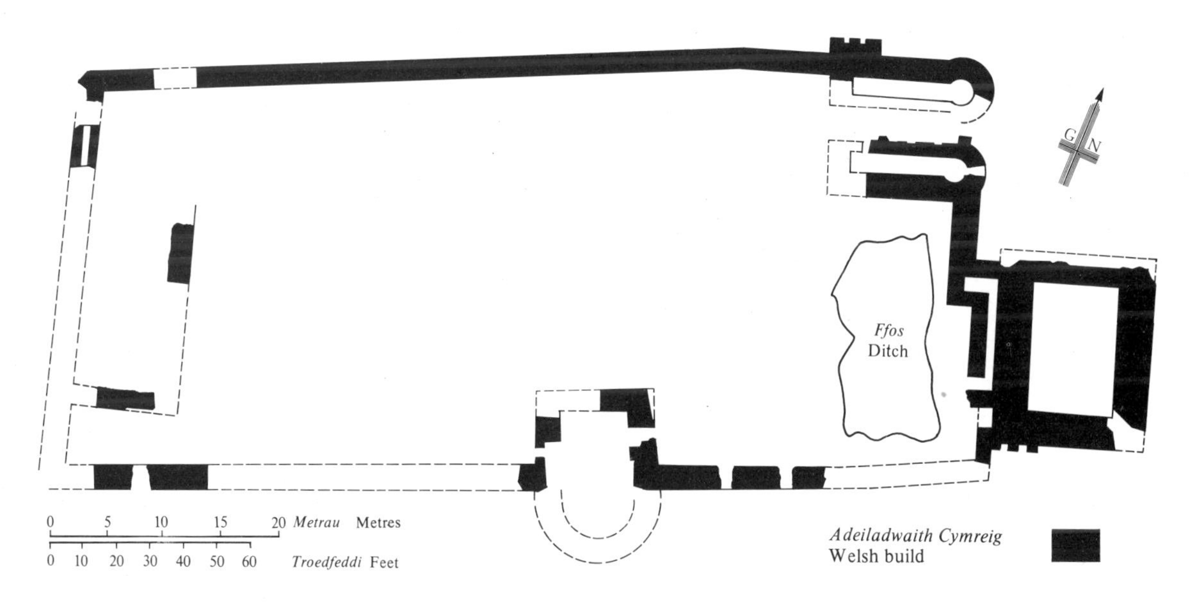

Yn ôl King (1974)

After King (1974)

Dinas Emrys, Beddgelert, Gwynedd

CGC: SH *606492*

Mae i'r safle hwn le pwysig yn nhraddodiadau'r Oesoedd Tywyll a'r Canol Oesoedd. Ar ben gogledd-ddwyreiniol y bryn mae sodlau tŵr neu orthwr petryal a godwyd, mae'n debyg, tua diwedd y ddeuddegfed ganrif neu ddechrau'r ganrif ddilynol. Mae gwaelod y mur yn lledu tuag allan tra bo'r tu mewn yn fertigol gyda gwaith clai celfydd ar ei wyneb.

Eiddo Preifat: Dim hawl mynediad i'r cyhoedd.

CYFEIRIAD *H.N. Savory, 'Excavations at Dinas Emrys, Beddgelert (Caern.), 1954–56'*, Archaeologia Cambrensis, CIX *(1960), td 13–77.*
Y Comisiwn Brenhinol ar Henebion (Cymru), Inventory for Caernarvonshire, Volume II: Central *(1960), td 25.*

Dinas Emrys, Beddgelert, Gwynedd

NGR: SH 606492

This site plays an important role in Dark Age and medieval tradition. At the north-eastern end of the hill, on its highest point, are the footings of a rectangular tower or keep probably dating to the late twelfth century or early thirteenth. The external wall-face is battered while the internal is vertical with good clay-jointed facework.

Private Ownership: No public right of access

REFERENCE H.N. Savory, 'Excavations at Dinas Emrys, Beddgelert (Caern.), 1954–56', *Archaeologia Cambrensis*, CIX (1960), pp 13–77.
Royal Commission on Ancient and Historical Monuments (Wales), *Inventory for Caernarvonshire, Volume II: Central*, (1960), p 25.

Castell Dolbadarn, Llanberis, Gwynedd

CGC: SH *586598*

Mae safle'r castell ar ffurf debyg i hanner lleuad uwchlaw Llyn Peris. O slabiau o lechfaen neu galchfaen gwastad a di-forter y codwyd y llenfur a'r adeiladau cysylltiedig sy'n dal ar eu traed, yn bur wahanol i'r gorthwr crwn a'i waith morter cadarn sy'n dal yn 48 troedfedd (14.6 m) o uchder. Llywelyn Fawr, mae'n debyg, a gododd ddwy ran y castell, er ei bod yn amhosibl penderfynu p'un a godwyd gyntaf. Mae i'r gorthwr ddau lawr a seler, a gwarchodir y fynedfa iddo ar y llawr cyntaf gan borthcwlis. Ceir grisiau tro o amgylch postyn yn arwain i'r llawr uchaf. Mae'r adeilad dwyreiniol, sy'n ddiweddarach, yn cuddio mynedfa wreiddiol cwrt y castell.

Y Swyddfa Gymreig: Mynediad ar unrhyw adeg resymol.

CYFEIRIAD Dolbadarn Castle/Castell Dolbadarn, *Pamffled, Y Swyddfa Gymreig.*
Y Comisiwn Brenhinol ar Henebion (Cymru), Inventory for Caernarvonshire, Volume II: Central, *(1960), td 165–8.*

CYNLLUN GYFERBYN

Dolbadarn Castle, Llanberis, Gwynedd

NGR: SH 586598

The castle stands on a boomerang-shaped site above Llyn Peris. The surviving curtain wall and associated buildings are built of unmortared, evenly-laid, slabs of slate or grit which contrasts with the well-mortared masonry of the round keep still standing to a height of 48 feet (14.6 m). Both parts of the castle were probably built by Llywelyn ab Iorwerth although it is impossible to be certain which came first. The keep, which consists of two storeys above a basement, is entered at first floor level through a doorway protected by a portcullis. A newel stair provides access to the upper storey. The later, eastern, building obscures the original entrance to the courtyard.

Welsh Office: Access at any reasonable time

REFERENCE *Dolbadarn Castle* Pamphlet Guide, Welsh Office.
Royal Commission on Ancient and Historical Monuments (Wales), *Inventory for Caernarvonshire, Volume II: Central*, (1960), pp 165–8.

PLAN OPPOSITE

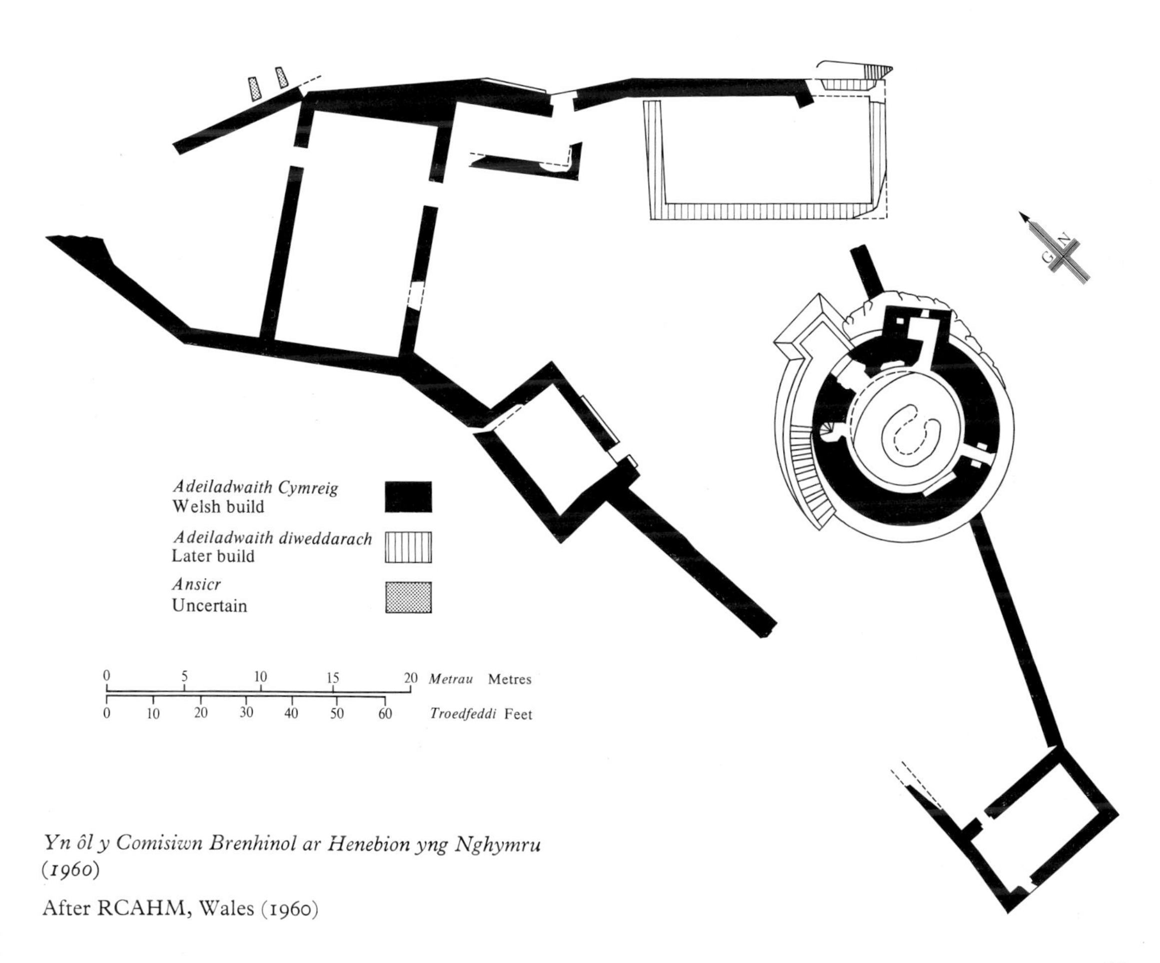

Yn ôl y Comisiwn Brenhinol ar Henebion yng Nghymru (1960)

After RCAHM, Wales (1960)

Castell Dolforwyn, ger y Drenewydd, Powys

CGC: SO *152950*

Dyma'r unig gastell newydd a godwyd yn gyfan gwbl gan Lywelyn ap Gruffydd. Cychwynnwyd codi'r castell a'r dref gysylltiedig ym 1273. Unig olion y dref erbyn heddiw yw ambell lwyfan sy'n dangos safleoedd y tai a arferai fod yno. Ar safle'r castell ceid ward hirsgwar â llenfur o'i amgylch, tŵr crwn yn y pen gogledd-ddwyreiniol ac un hirsgwar yn y pen deheuol. Rhaid aros tan i archaeolegwyr gloddio'r safle ymhellach cyn y gwêl cynllun manwl y castell olau dydd.

Y Swyddfa Gymreig: Mynediad ar unrhyw adeg resymol.

CYFEIRIAD *Y Comisiwn Brenhinol ar Henebion (Cymru)*, Inventory for Montgomeryshire, (*1911*), *td 8–9.*

Dolforwyn Castle, near Newtown, Powys

NGR: SO 152950

This is the only castle built entirely by Llywelyn ap Gruffydd as a new foundation. Work started on the castle and attached town in 1273. Today a few banks and platforms, identifying the sites of former houses and burgage plots, are all that remains of the town. The very ruinous castle to the east consisted of a roughly rectangular enclosure surrounded by a curtain wall with a round tower at the north-eastern end and a rectangular one at the southern. Unravelling the full plan of the castle must await further archaeological excavation.

Welsh Office: Access at any reasonable time

REFERENCE Royal Commission on Ancient and Historical Monuments (Wales), *Inventory for Montgomeryshire*, (1911), pp 8–9.

Castell Dolwyddelan, Gwynedd

CGC: SH *721523*

O'i adfer yn ystod y ganrif ddiwethaf, cafwyd gorthwr trawiadol iawn. Yn y gorthwr gwreiddiol, a godwyd ar ddiwedd y ddeuddegfed ganrif neu ar ddechrau'r ganrif ddilynol, yr oedd seler ynghyd ag ystafell ar y llawr cyntaf yr eid iddi ar hyd grisiau allanol, gyda phont godi ac adeilad blaen yn gwarchod y fynedfa. Ychwanegwyd llawr arall at y gorthwr yn y bymthegfed ganrif. Mae'n bosibl bod y llenfur o gerrig wedi disodli palis pren yn gynnar yn y drydedd ganrif ar ddeg, a'r tebyg yw bod yr ail dŵr, y tŵr gorllewinol petryal, wedi ei godi gan Lywelyn ap Gruffydd yn ddiweddarach yn y ganrif honno.

Y Swyddfa Gymreig: Mynediad ar unrhyw adeg resymol.

CYFEIRIAD Dolwyddelan Castle/Castell Dolwyddelan, *Pamffled, Y Swyddfa Gymreig*
Y Comisiwn Brenhinol ar Henebion (Cymru), Inventory for Caernarvonshire, Volume I: East, (*1956*), *td 80–82.*

CYNLLUN GYFERBYN

Dolwyddelan Castle, Gwynedd

NGR: SH 721523

Nineteenth century restoration of the keep has produced a very impressive building. The original keep, of late twelfth or early thirteenth century date, consisted of a basement and first floor apartment reached by an external flight of steps with a drawbridge and forebuilding protecting the doorway. The keep was raised by another storey in the fifteenth century. The stone curtain wall may have replaced an earlier timber palisade in the early thirteenth century. The second, west, tower, also rectangular in shape, was probably built by Llywelyn ap Gruffydd later in the thirteenth century.

Welsh Office: Access at any reasonable time

REFERENCE *Dolwyddelan Castle* Pamphlet Guide, Welsh Office
Royal Commission on Ancient and Historical Monuments (Wales), *Inventory for Caernarvonshire, Volume I: East*, (1956), pp 80–82.

PLAN OPPOSITE

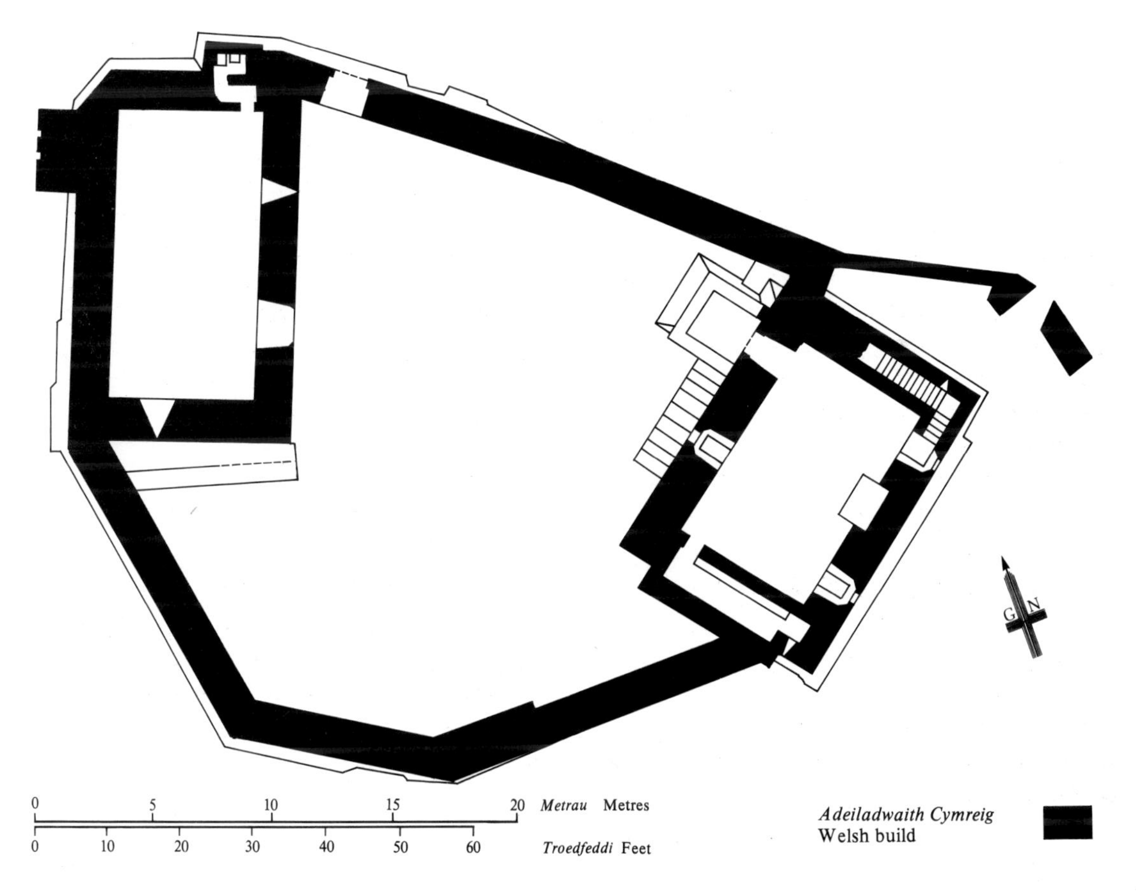
G N
0 5 10 15 20 *Metrau* Metres
0 10 20 30 40 50 60 *Troedfeddi* Feet
Adeiladwaith Cymreig
Welsh build

Castell Ewloe, ger Penarlâg, Clwyd

CGC: SJ *288675*

Mae'n bosibl bod Owain Gwynedd wedi codi castell mwnt a beili yma yn y ddeuddegfed ganrif, ac mae'n debyg mai Llywelyn Fawr a gododd y Tŵr Cymreig cromfannol tua dechrau'r ganrif ddilynol. Ynddo yr oedd seler ynghyd â lle byw ar y llawr cyntaf yr eid iddo ar hyd grisiau allanol. Awgryma'r rhigolau yn olion y rhagfur y gellid bod wedi codi oriel bren neu lwyfan ymladd i fyny yno. Dros bont bren ar draws y ffos ddwyreiniol y deuid at borth y castell. Tua 1257, cododd Llywelyn ap Gruffydd y Tŵr Gorllewinol crwn ynghyd â llenfur o gerrig o amgylch y wardiau uchaf ac isaf.

Y Swyddfa Gymreig: Mynediad ar unrhyw adeg resymol.

CYFEIRIAD Ewloe Castle/Castell Ewloe, *Pamffledyn dwyieithog, Y Swyddfa Gymreig*
W. J. Hemp, 'The Castle of Ewloe and the Welsh Castle Plan', Y Cymmrodor, XXXIX *(1928), td 4–19.*

Ewloe Castle, near Hawarden, Clwyd

NGR: SJ 288675

Owain Gwynedd may have established a motte and bailey castle here in the twelfth century. Llywelyn ab Iorwerth probably built the apsidal Welsh Tower in the early thirteenth century. This consisted of a basement and a first floor apartment approached by an external flight of steps. Transverse grooves in the remains of the parapet wall indicate that there was provision for a timber gallery or fighting platform. The castle was approached by a timber bridge across the eastern ditch. In about 1257 Llywelyn ap Gruffydd built the round West Tower and a stone curtain wall around the upper and lower wards.

Welsh Office: Access at any reasonable time

REFERENCE *Ewloe Castle* Folder Guide, Welsh Office
W. J. Hemp, 'The Castle of Ewloe and the Welsh Castle Plan', *Y Cymmrodor*, XXXIX (1928), pp 4–19.

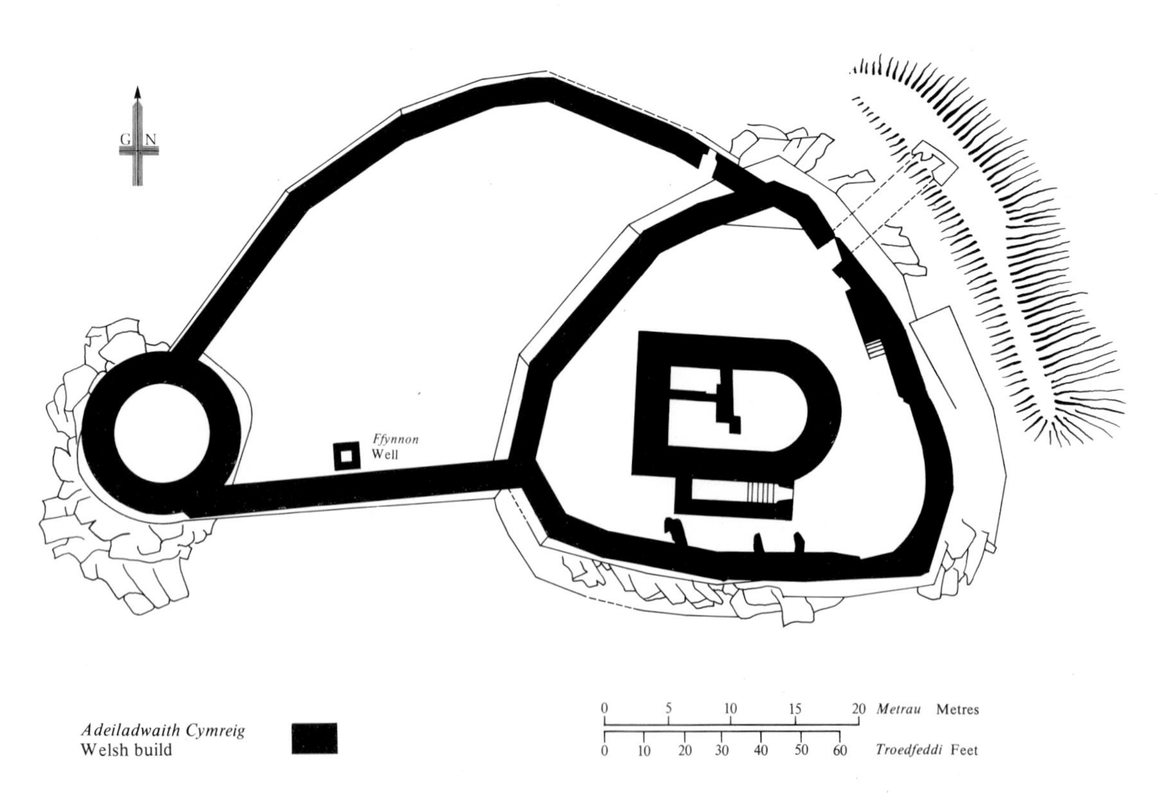

Geirfa
Glossary

Cerrig sychion	*Gwaith maen wedi'i godi heb ddefnyddio morter.*
Dinistrio	*Dinistrio castell yn fwriadol i'w gwneud yn amhosibl ei ddefnyddio ar gyfer amddiffyn.*
Donjon	*Gorthwr neu brif dŵr.*
Geudy	*Toiled.*
Gwarchodfan	*Estyniad amddiffynnol allanol i'r porth.*
Hollt saethu	*Hollt fertigol hir mewn mur, fel arfer yn lletach ar yr ochr fewnol i ollwng saethau drwyddo.*
Llenfur	*Mur uchel sy'n cysylltu tyrau neu'n 'crogi' rhyngddynt.*
Mur cynnal	*Wyneb cynnal o goed neu gerrig.*
Neuadd	*Y prif adeilad domestig yn y castell.*
Oriel bren	*Oriel bren wedi'i gorchuddio, ei chynnal gan drawstiau pren a'i chysylltu wrth frig mur allanol. Byddid yn gollwng arfau drwy dyllau yn y llawr ar hyd wyneb y mur ar ben y gelyn.*
Palis	*Ffens o goed.*
Pont godi	*Pont bren y gellir ei chodi neu ei gostwng.*
Porthcwlis	*Rhwyllwaith o haearn yn crogi ar gadwyni ar hyd holltau ac y gellir ei ostwng i gau mynedfa.*
Rhagfur	*Mur isel ar ben mur lletach ac o'i flaen.*
Tanseilio	*Cloddio twnel o dan fur er mwyn ei ddymchwel.*
Tŵr bylchog	*Tŵr wedi'i godi ar hyd llinell llenfur.*
Tŵr cromfannol	*Tŵr ag iddo ben crwn neu hanner crwn.*
Ward	*Cwrt wedi'i amgylchynu o fewn amddiffynfeydd y castell.*

Apsidal tower	Tower with a rounded or semi-circular end.
Arrowloop	Long vertical slit in a wall usually with a deep inner splay, through which arrows are shot.
Barbican	Outward defensive extension of a gateway.
Battlement	Parapet with a series of indentations.
Curtain wall	A high wall which links, or is 'hung' between, towers.
Donjon	Keep or principal tower.
Drawbridge	Wooden bridge which can be raised and lowered.
Drystone	Masonry built without the use of mortar.
Garderobe	Latrine or privy.
Hall	The principal domestic building in the castle.
Hoarding	Covered wooden gallery, supported by wooden beams, attached to the top of an external wall. Missiles could be dropped through holes in the floor, down the wallface, onto the enemy.
Keep	The principal tower in the castle.
Mine	Tunnel dug beneath a wall to cause it to collapse.
Mural tower	Tower built along the line of the curtain wall.
Newel stair	Spiral stair with a central post.
Palisade	Timber fence.
Parapet	Low wall on top of, and at the front of, a wider one.
Pent (roof)	Lean-to.
Portcullis	Iron-shod wooden grill, suspended by chains in grooves, which can be lowered to block an entrance.
Revetment	Timber or stone retaining face.
Slight	Deliberate destruction of a castle to make it unfit for defence.
Ward	Courtyard enclosed within the castle's defences.
Vault	Arched stone ceiling.